LA SALLE DE BAIN

JEAN-PHILIPPE TOUSSAINT

LA SALLE DE BAIN

suivi de

Le jour où j'ai rencontré Jérôme Lindon

LES ÉDITIONS DE MINUIT

© 1985/2005 by Les Éditions de Minuit
www.leseditionsdeminuit.fr

ISBN 978-2-7073-1928-9

Le carré de l'hypoténuse est égal à la somme des carrés des deux autres côtés.

Pythagore.

PARIS

1) Lorsque j'ai commencé à passer mes après-midi dans la salle de bain, je ne comptais pas m'y installer ; non, je coulais là des heures agréables, méditant dans la baignoire, parfois habillé, tantôt nu. Edmondsson, qui se plaisait à mon chevet, me trouvait plus serein ; il m'arrivait de plaisanter, nous riions. Je parlais avec de grands gestes, estimant que les baignoires les plus pratiques étaient celles à bords parallèles, avec dossier incliné, et un fond droit qui dispense l'usager de l'emploi du butoir cale-pieds.

2) Edmondsson pensait qu'il y avait quelque chose de desséchant dans mon refus de quitter la salle de bain, mais cela ne l'empêchait pas de me faciliter la vie, subvenant aux besoins du foyer en travaillant à mi-temps dans une galerie d'art.

3) Autour de moi se trouvaient des placards, des porte-serviettes, un bidet. Le lavabo était blanc ; une tablette le surplombait, sur laquelle reposaient brosses à dents et rasoirs. Le mur qui me faisait face, parsemé de grumeaux, présentait des craquelures ; des cratères çà et là trouaient la peinture terne. Une fissure semblait gagner du terrain. Pendant des heures, je guettais ses extrémités, essayant vainement de surprendre un progrès. Parfois, je tentais d'autres expériences. Je surveillais la surface de mon visage dans un miroir de poche et, parallèlement, les déplacements de l'aiguille de ma montre. Mais mon visage ne laissait rien paraître. Jamais.

4) Un matin, j'ai arraché la corde à linge. J'ai vidé tous les placards, débarrassé les étagères. Ayant entassé les produits de toilette dans un grand sac-poubelle, j'ai commencé à déménager une partie de ma bibliothèque. Lorsque Edmondsson rentra, je l'accueillis un livre à la main, allongé, les pieds croisés sur le robinet.

5) Edmondsson a fini par avertir mes parents.

6) Maman m'apporta des gâteaux. Assise sur le bidet, le carton grand ouvert posé entre ses jambes, elle disposait les pâtisseries dans une assiette à soupe. Je la trouvais soucieuse, depuis son arrivée elle évitait mes regards. Elle releva la tête avec une lasse tristesse, voulut dire quelque chose, mais se tut, choisissant un éclair dans lequel elle croqua. Tu devrais te distraire, me dit-elle, faire du sport, je ne sais pas moi. Elle s'essuya le coin des lèvres avec son gant. Je répondis que le besoin de divertissement me paraissait suspect. Lorsque, en souriant presque, j'ajoutai que je ne craignais rien moins que les diversions, elle vit bien que l'on ne pouvait pas discuter avec moi et, machinalement, me tendit un mille-feuilles.

7) Deux fois par semaine, j'écoutais le compte rendu radiophonique du déroulement de la journée de championnat de France de football. L'émission durait deux heures. D'un studio parisien, le présentateur orchestrait les voix des envoyés spéciaux qui suivaient les rencontres dans les différents stades. Étant d'avis que le football gagne à être imaginé, je ne ratais jamais ces rendez-vous.

Bercé par de chaudes voix humaines, j'écoutais les reportages la lumière éteinte, parfois les yeux fermés.

8) Un ami de mes parents, de passage à Paris, vint me rendre visite. Il m'apprit qu'il pleuvait. Tendant le bras vers le lavabo, je l'invitai à prendre une serviette. Plutôt la jaune, l'autre était sale. Il se sécha les cheveux, longuement, avec soin. Je ne savais pas ce qu'il me voulait. Comme le silence s'installait, il me donna des nouvelles de ses activités professionnelles, m'expliquant que les difficultés auxquelles il se heurtait étaient insurmontables, car liées à des incompatibilités d'humeur entre des personnes de même niveau hiérarchique. Jouant nerveusement de ma serviette, il marchait à grands pas le long de la baignoire et, exalté par ses propos, se montrait de plus en plus intransigeant. Il menaçait, vociférait. Finalement il traita Lacour d'irresponsable. Je tente l'impossible, disait-il, l'impossible ! et tout le monde s'en fout.

9) Je portais des vêtements simples. Un pantalon de toile beige, une chemise bleue et une cravate unie. Les tissus tombaient avec

tant de profit sur mon corps que, tout habillé, je semblais musclé d'une manière fine et puissante. J'étais allongé, détendu, les yeux fermés. Je songeais à la dame blanche, le dessert, boule de glace à la vanille sur laquelle on épanche une nappe de chocolat brûlant. Depuis quelques semaines, j'y réfléchissais. D'un point de vue scientifique (je ne suis pas gourmand), je voyais dans ce mélange un aperçu de la perfection. Un Mondrian. Le chocolat onctueux sur la vanille glacée, le chaud et le froid, la consistance et la fluidité. Déséquilibre et rigueur, exactitude. Le poulet, malgré toute la tendresse que je lui voue, ne soutient pas la comparaison. Non. Et j'étais sur le point de m'endormir lorsque Edmondsson entra dans la salle de bain, pivota et me tendit deux lettres. L'une d'elle provenait de l'ambassade d'Autriche. Je l'ouvris avec un peigne. Edmondsson, qui lisait derrière mon épaule, souligna mon nom sur le carton d'invitation. Ne connaissant ni Autrichiens ni diplomates, je dis qu'il s'agissait d'une erreur, probablement.

10) Assis sur le rebord de la baignoire, j'expliquais à Edmondsson qu'il n'était peut-

être pas très sain, à vingt-sept ans, bientôt vingt-neuf, de vivre plus ou moins reclus dans une baignoire. Je devais prendre un risque, disais-je les yeux baissés, en caressant l'émail de la baignoire, le risque de compromettre la quiétude de ma vie abstraite pour. Je ne terminai pas ma phrase.

11) Le lendemain, je sortis de la salle de bain.

12) Kabrowinski. Et votre prénom ? demandai-je. Witold. C'était un homme aux cheveux blancs, en costume gris, assis dans ma cuisine, un fume-cigarette à la main. Un homme plus jeune se tenait debout derrière lui. Kabrowinski se leva d'un bond et m'offrit sa chaise. Il croyait être seul dans la maison, il était confus, s'excusait. Pour justifier sa présence dans mon appartement, il s'empressa de m'expliquer qu'Edmondsson lui avait demandé de repeindre la cuisine. J'étais au courant. La galerie d'art dans laquelle travaillait Edmondsson exposait en ce moment des artistes polonais. Comme ils étaient fauchés, Edmondsson m'avait expliqué que l'on pou-

vait en profiter pour leur faire repeindre la cuisine en les sous-payant.

13) J'avais passé une journée calme, troublé dans mes déambulations par la présence des deux Polonais qui ne quittaient pas la cuisine, attendant sagement la peinture qu'Edmondsson avait oublié de leur procurer. De temps à autre, Kabrowinski frappait à ma porte et, la tête dans l'entrebâillement, me posait des questions auxquelles je répondais cordialement que je n'en savais rien. Depuis quelques minutes, je ne les entendais plus. Assis sur mon lit, le dos contre un oreiller, je lisais. La porte d'entrée claqua, je relevai la tête. Un instant plus tard, Edmondsson apparaissait, le visage rayonnant. Elle voulait faire l'amour.

14) Maintenant.

15) Faire l'amour maintenant ? Je refermai mon livre posément, laissant un doigt entre deux feuilles pour me garder la page. Edmondsson riait, sautait à pieds joints. Elle déboutonna sa blouse. Derrière la porte, Kabrowinski dit d'une voix grave qu'il atten-

dait la peinture depuis ce matin ; il parla d'une journée de perdue, d'incohérence. Tout naturellement, Edmondsson, qui riait toujours, ouvrit la porte et leur proposa de partager notre dîner.

16) Edmondsson se brûlait les lèvres en goûtant les pâtes. Assis sur une chaise de cuisine, Kabrowinski, le visage négligemment penché pour figurer la méditation, suçait pensivement l'extrémité de son fume-cigarette. Depuis qu'il savait pourquoi Edmondsson n'avait pas acheté la peinture (les drogueries étaient fermées), il ne cessait de déplorer que nous fussions lundi. Parallèlement, il tâchait de savoir si sa journée lui serait quand même payée. Edmondsson se montrait évasive. Elle avoua que de toute manière elle n'aurait pas acheté la peinture aujourd'hui, car elle n'avait pas encore arrêté le choix de la couleur, hésitant entre un beige dont elle craignait qu'il n'assombrît la pièce et un blanc — toujours salissant. Kabrowinski demanda à voix basse si elle avait l'intention de prendre une décision avant le lendemain. Elle le servit de pâtes, il remercia. À ceci près que des pétoncles remplaçaient les clams, nous mangions des spag-

18

hetti alle vongole. La bière était tiède, je la servais en penchant les verres. Kabrowinski mangeait lentement. Enroulant avec soin les spaghettis autour de sa fourchette, il estimait qu'il fallait commencer à peindre le plus tôt possible et, se tournant vers moi, d'un air mondain, me demanda ce que je pensais d'une laque glycéro bâtiment. Pour étayer sa question, il ajouta qu'il avait aperçu deux pots de cela dans notre débarras. Ne voulant pas m'exclure de la conversation, je répondis que, personnellement, je n'en pensais rien. Edmondsson, elle, était formellement contre. Les pots de laque en question, nous apprit-elle, outre le fait qu'ils étaient vides, apparte-naient aux anciens locataires, ce qui lui sem-blait être une deuxième bonne raison pour ne pas s'en servir.

17) Edmondsson n'avait pas encore complètement refermé la porte derrière les invités qu'elle enleva sa jupe et ses collants, les faisant glisser le long de ses jambes en se contorsionnant. Par le mince entrebâillement, Kabrowinski prolongeait les adieux ; il remer-ciait pour le dîner et, au sujet de la couleur, préconisait le beige sur un ton détaché. Lors-

que Edmondsson voulut terminer de fermer la porte, Kabrowinski, très vif, glissa le manche de son parapluie dans l'interstice et, souriant pour se faire pardonner, remercia encore, différemment, pour le très bon repas. Après un silence, il retira son parapluie et, tandis qu'Edmondsson, cachée par la paroi, se débarrassait de sa petite culotte, Kabrowinski se montra plus explicite. Il tâchait d'obtenir une avance sur la somme promise, il voulait quelque argent pour prendre un taxi et payer son hôtel. Edmondsson tenait bon. Dès qu'elle parvint à verrouiller la porte, elle me sourit et, les fesses nues, regarda dans l'œilleton sur la pointe des pieds. Sans se retourner, elle déboutonna sa blouse. J'ôtai mon pantalon pour lui être agréable.

18) Après avoir dénoué notre étreinte, nous restâmes un instant assis nus l'un en face de l'autre sur le tapis du vestibule.

19) Dans la salle de bain, la lumière était éteinte, une bougie éclairait Edmondsson par endroits. Des gouttes d'eau scintillaient sur son corps. Elle était étendue dans la baignoire et, les mains à l'horizontale, donnait de petites

claques sur la surface de l'eau. Je la regardais en silence, nous nous souriions.

20) J'étais couché dans le lit, et je tâchais de terminer mon chapitre. Une serviette de bain sur la tête, Edmondsson circulait toute nue dans la chambre, se déplaçant avec langueur, les seins en avant, avec de lents mouvements des bras qui, arrondis en l'air, décrivaient d'interminables spirales devant mes yeux. Un doigt posé sur la bonne ligne, j'attendais pour continuer ma lecture. En tournant sur elle-même, Edmondsson lisait des lettres, classait des documents. Elle s'éloignait du bureau, revenait vers moi. Elle s'asseyait sur le fauteuil et, en bougeant les lèvres, prenait connaissance d'un imprimé ; puis elle décroisait les jambes, se relevait et faisait des commentaires. Chut, disais-je de temps en temps. Elle n'insistait pas, se grattait la cuisse. Pensive, elle passait un doigt sur la surface du bureau, regardait alentour et prenait un papier qu'elle déchirait. Elle s'immobilisa. D'un geste hésitant, elle ramassa une grande carte de bristol et vint se coucher auprès de moi dans le lit. Comme je gardais la tête baissée, elle déposa le car-

21

ton sur la page que je lisais. Je lui demandai ce qu'elle voulait. Rien, elle voulait simplement savoir qui m'avait envoyé cette invitation. J'acquiesçai longuement, pensivement, et, écartant le carton du doigt, repris ma lecture. Au bout d'un moment, d'une voix qu'altérait un bâillement, elle me demanda de nouveau qui m'avait envoyé cette invitation. Qui ? J'hésitais. Depuis quelques jours, j'avais eu le temps d'y réfléchir. Peut-être le secrétariat de l'ambassade d'Autriche s'était-il purement et simplement trompé en me l'adressant ? Mais, dans ce cas, je m'expliquais mal qu'il n'y eût pas davantage d'erreurs dans la rédaction de mon adresse. Peut-être ce même secrétariat, pour obtenir mes coordonnées, s'était-il renseigné auprès de certaine connaissance ? Peut-être. Dans un passé récent, exerçant en quelque manière la profession de chercheur, je fréquentais des historiens, des sociologues. J'étais l'assistant de T. qui présidait aux destinées d'un séminaire, j'avais des étudiants, je jouais au tennis. Tout ceci me semblait être d'excellentes raisons pour qu'on eût souhaité me recevoir, mais aucune, à mon sens, n'était précisément déterminante pour

22

justifier une invitation dans une ambassade.
Qu'en pensait-elle ? Rien, Edmondsson
s'était endormie.

21) Un bras sous l'oreiller, Edmondsson
me demandait l'heure en gémissant parce
qu'on avait sonné. Il était tôt. Dehors, il ne
faisait pas encore jour. Les rideaux étaient
entrouverts, mais nulle clarté ne venait
contrarier la tranquille obscurité de la chambre. La pénombre adoucissait les contours,
enveloppait les murs, le bureau, les fauteuils.
On sonna de nouveau. Fasciste, dit
Edmondsson d'une voix tout endormie. Cou-
chée sur le ventre, elle demeurait immobile,
comme épuisée, les mains agrippées aux
draps. Tandis que l'on sonnait pour la troisième fois, elle finit par m'avouer qu'elle
n'avait pas le courage de se lever pour aller
ouvrir. Conciliant, je proposai de l'accompa-
gner ; y aller tous les deux était, à mon sens,
le juste compromis. Edmondsson s'habilla en
prenant son temps. J'attendais assis au bord
du lit, m'irritant de ce bruit de sonnette qui
ne s'interrompait plus. Lorsqu'elle fut prête,
je la suivis dans le couloir en boutonnant mon
pyjama. Kabrowinski était confus d'avoir

autant sonné. Il était sur le pas de la porte, la canadienne fermée jusqu'au col, une écharpe autour du cou. Entre ses pieds se trouvait un petit sac transparent rempli de chairs visqueuses. Il le ramassa du bout des doigts, baisa la main d'Edmondsson et entra. Kovalskazinski Jean-Marie n'est pas encore là ? demanda-t-il en regardant autour de lui. Il ne va pas tarder, assura-t-il, il est très ponctuel. Et s'apercevant que de l'eau s'écoulait de son sac, mouillant le tapis et ses chaussures, il s'excusa du regard et tendit avec précaution le sachet ruisselant à Edmondsson. Des poulpes, dit-il, cadeau. Si, si, il y tenait : cadeau. Assis dans la cuisine sur sa chaise de la veille, il raconta qu'il avait passé la nuit à jouer aux échecs dans l'arrière-salle d'un café avant de faire la connaissance de son voisin de table, un jeune type qui, à la fermeture du bar, l'avait entraîné aux Halles où ils avaient acheté un cageot de poulpes qu'ils s'étaient partagés au petit matin, dans le métro, à la station Invalides. Je le regardais en pensant à autre chose. Edmondsson n'écoutait pas non plus ; elle avait ouvert le robinet et remplissait la bouilloire. Kabrowinski, confortablement installé dans la cuisine, assis les jambes écartées, continuait à se frotter énergiquement les mains. Il avait pris froid dans les longs hangars glacés, disait-il, cette nuit, parmi les demi-bœufs suspendus dont il nous faisait la description. Avec un fin sourire, citant Soutine, il parlait de viande crue, de sang, de mouches, cervelles, tripes, boyaux, abats entassés regroupés dans des caisses ; accompagnant les détails infects de gestes évocateurs qu'il terminait en éternuant. À vos amours, disait poliment Edmondsson, qui faisait le café en lui tournant le dos. Le coude levé très haut, elle versait de l'eau dans le filtre. Je proposai de la relayer afin qu'elle pût aller acheter des croissants (et la peinture, ajouta Kabrowinski).

22) Après le départ d'Edmondsson, avec ma permission, Kabrowinski souhaitait se laver les dents, faire un brin de toilette, se débarbouiller. Je fus très amical, souriant, expliquant que j'avais besoin de la salle de bain, mais que l'évier était à sa disposition, dans lequel reposaient ses calmars. Il suffisait de les mettre ailleurs ; je vous laisse faire, dis-je, et j'allai lui chercher une serviette et un savon. Après quoi, je m'enfermai dans la salle de bain.

23) Debout en face du miroir, je regardais mon visage avec attention. J'avais enlevé ma montre, qui reposait en face de moi sur la tablette du lavabo. La trotteuse tournait autour du cadran. Immobile. À chaque tour, une minute s'écoulait. C'était lent et agréable. Sans quitter mon visage des yeux, j'enduisais mon blaireau de savon à barbe ; je répartissais la crème sur mes joues, sur mon cou. Déplaçant lentement le rasoir, je retirais des rectangles de mousse, et la peau réapparaissait dans le miroir, tendue, légèrement rougie. Lorsque ce fut terminé, je renouai ma montre autour de mon poignet.

24) Sur la table de cuisine, à côté du sachet familier de croissants, se trouvaient trois pots de peinture. Kabrowinski en avait ouvert un avec un opinel et trouvait que c'était hyper-moderne d'avoir choisi une laque orange pour repeindre la cuisine. Edmondsson en doutait, qui expliquait que ce n'était pas orange, mais beige vif. Elle rangea les pots dans un coin et apporta le café. Je pris place. Tandis que je remplissais ma tasse, Kabrowinski, en face de moi, essayait

d'ouvrir le pot de confiture avec son opinel. Nous mangions en silence. Edmondsson feuilletait un magazine, s'étonnait que l'exposition Raphaël ne fût pas prolongée. Kabrowinski avait vu la rétrospective à Londres. Il trouvait que ce n'était pas mal, Raphaël. Il nous parla de ses goûts, nous confessa qu'il avait de l'estime pour Van Gogh, qu'il admirait Hartung, Pollock. Une main sous le menton pour recueillir les miettes, Edmondsson terminait son croissant à la hâte. Elle devait partir, la galerie ouvrait à dix heures. Kabrowinski, qui se resservait de café, la chargea de transmettre ses meilleures salutations à l'homme exceptionnel qu'était le directeur de la galerie qui avait choisi d'exposer ses œuvres et, pensif, buvant une longue gorgée, ajouta qu'elle pouvait également rappeler à cet excellent homme qu'il se tenait à sa disposition pour rencontrer d'éventuels acheteurs. Edmondsson se recoiffait, nouait la ceinture de son manteau. En passant devant l'évier, elle dit que, si nous voulions manger les poulpes à midi, il fallait les vider et leur ôter la peau. Kabrowinski approuvait largement. Il avait un visage radieux, épanoui. Le corps renversé en arrière, il s'essuya la bouche avec satisfaction et, s'adressant à Edmondsson qui se trouvait déjà dans le vestibule, lui cria de ne pas oublier de téléphoner à l'atelier pour savoir si les lithographies étaient prêtes.

25) Penché de profil, la chemise blanche sous les bretelles grises, Kabrowinski tentait de glisser la pointe d'un couteau dans la chair gluante d'un tentacule du poulpe répandu sur la planche en bois. En face de lui, Kovalska-zinski Jean-Marie (arrivé très élégamment vêtu peu après le départ d'Edmondsson) maintenait le mollusque entre ses mains fines pour l'empêcher de bouger. Il avait enlevé sa montre, et se prêtait à cet exercice avec quelque réticence. Le pantalon recouvert d'un torchon de cuisine, il se tenait très droit, la tête raide, la bouche pincée. De temps en temps, avec beaucoup de distance dans la voix, il conseillait une intersection qui lui semblait plus accessible à la lame du couteau. Recourbé sur le manche, les cheveux devant les yeux, Kabrowinski n'écoutait pas ; il grimaçait, les mains crispées, enfonçant de toutes ses forces l'opinel dans la masse viscérale. Assis au fond de la cuisine, les jambes croisées, je fumais une

cigarette. En regardant mon filtre, duquel s'échappait une fumée hésitante, je me demandais si je devais me rendre à la réception de l'ambassade d'Autriche. Que pouvais-je en attendre ? Le déroulement de la soirée, prévue pour le prochain mardi, me paraissait absolument inexorable. Je mettrais un costume sombre, une cravate noire. Je tendrais mon carton d'invitation à l'entrée. Sous le cristal des lustres brilleraient des épaules nues, des perles, les revers satinés des costumes. Lentement, je circulerais de salon en salon, le regard si légèrement penché. Je ne parlerais pas, ne sourirais pas. Je marcherais très droit, m'approcherais de la fenêtre. D'un doigt, j'écarterais le rideau et regarderais dans la rue. La nuit serait noire. Pleuvrait-il ? Je lâcherais le rideau et retournerais au buffet. Derrière un groupe d'invités, je m'immobiliserais. Un ambassadeur parlerait. Notre pays est en bonne santé, dirait-il. Ce constat, qui s'appuie sur un bilan dénué de toute complaisance, a été fait dès l'ouverture de la réunion périodique de notre gouvernement. Une telle constatation est d'autant plus significative qu'elle intervient dans un contexte international très contraignant. Je l'écouterais. Il serait imposant, parlerait avec suffisance. C'est sur cette toile de fond réconfortante, expliquerait-il, que les différents thèmes qui étaient à l'ordre du jour ont pu être examinés : de nombreuses clarifications ont marqué le déroulement de la séance, permettant entre autres, grâce à une concertation fructueuse, de faire le point pour chaque secteur concerné. Désormais, les exigences qui s'expriment sont qualitativement nouvelles ; elles ont pour noms : réalisme dans les objectifs, conjugaison de toutes les capacités, rigueur dans la gestion. Rigueur. Le mot me ferait sourire ; je tâcherais de ne pas sourire, je ferais demi-tour, marcherais dans les salons une main dans la poche. Et je partirais, sans oublier de récupérer mon écharpe au vestiaire. Au retour, j'expliquerais à Edmondsson que les diplomates s'étaient pressés autour de moi pour m'entendre parler du désarmement, que les femmes s'étaient bousculées pour approcher du petit groupe où, un verre à la main, je tenais conférence et qu'Eigenschaften lui-même, l'ambassadeur d'Autriche, homme austère, mesuré, érudit, m'avait avoué être très impressionné par la finesse de mes raisonnements, frappé par l'implacabilité de ma logique et enfin, très sincèrement, ébloui par ma beauté. À ce moment, Edmondsson relèverait les yeux et ses pommettes sailleraient : elle sourirait. Et après ? Je quittai ma chaise et allai éteindre ma cigarette sous le robinet. Au passage, je jetai un coup d'œil sur le poulpe dont la seule moitié supérieure, parfaitement lisse, était pour l'instant écorchée. Kabrowinski avait réussi à isoler un long fragment de peau grisâtre mais, malgré ses efforts, ne parvenait pas à le détacher du plus grand tentacule. Avec son couteau, il donnait de brusques petits coups de lame à la hauteur des ventouses et creusait des entailles pour libérer la peau. Son rhume ne lui facilitait pas la tâche : peu de temps auparavant, un violent éternuement l'avait astreint à s'interrompre pour s'essuyer les doigts.

26) Un pied devant l'autre, en courant presque, je trottais dans le couloir pour aller répondre au téléphone. C'était une erreur, un appel destiné aux anciens locataires. Dans la chambre, un jour gris traversait les rideaux de tulle. Je déposai le combiné sur le balancier de mon vieux téléphone, fis songeusement le tour du bureau et m'immobilisai devant la fenêtre. Il pleuvait. La rue était mouillée, les

trottoirs étaient sombres. Des voitures se garaient. D'autres, en stationnement, étaient couvertes de pluie. Les gens traversaient la rue rapidement, entraient et sortaient de la poste dont l'immeuble moderne me faisait face. Un peu de vapeur commençait à recouvrir ma vitre. Derrière la fine pellicule de buée, j'observais les passants qui déposaient du courrier. La pluie leur donnait des airs de conspirateurs : s'immobilisant devant la boîte aux lettres, ils sortaient une enveloppe de leur manteau et très vite, pour ne pas la mouiller, la jetaient dans une fente en redressant le col pour affronter la pluie. J'approchai mon visage de la fenêtre et, les yeux collés contre le verre, j'eus soudain l'impression que tous ces gens se trouvaient dans un aquarium. Peut-être avaient-ils peur ? L'aquarium lentement se remplissait.

27) Assis sur mon lit, la tête dans les mains (toujours ces positions extrêmes), je me disais que les gens ne redoutaient pas la pluie ; certains, sortant de chez le coiffeur, la craignaient, mais nul n'avait vraiment peur qu'elle ne s'arrêtât plus jamais, écoulement continu faisant tout disparaître — abolissant tout.

C'est moi qui, devant ma fenêtre, par une confusion que justifiait la crainte que m'avaient inspirée les divers mouvements qui se déroulaient devant mes yeux, pluie, déplacements des hommes et des voitures, avais eu soudain peur du mauvais temps, alors que c'était l'écoulement même du temps, une fois de plus, qui m'avait horrifié.

28) La table couverte d'une toile cirée blanche, le meuble de cuisine, ses tiroirs et ses étagères, la fenêtre et son rebord. Je ne connaissais rien de cet évier qui me faisait face, de cette pile de vaisselle, de cette cuisinière. Le sol semblait sombre, dont le linoléum se décollait par endroits. Deux balais étaient déposés contre le mur. Je voyais les détails, regardais sans me décider à entrer. Debout dans l'embrasure de la porte, j'avais le sentiment de me trouver devant un lieu inconnu. Qui étaient ces hommes ? Que faisaient-ils chez moi ?

29) Sans se préoccuper le moins du monde de ma présence, les Polonais poursuivaient une conversation, occupés et paisibles. Les yeux tournés vers la masse informe du cépha-

lopode qui recouvrait la planche en bois, Kabrowinski enfonçait çà et là la pointe de son couteau pour équarrir quelque protubérance. Le poulpe avait été entièrement dénudé. Seule l'extrémité des membres préhensiles restait encore couverte, où subsistaient des pièces de peau grisâtre, retroussées, ainsi que des chaussettes. Quittant de toutes parts la planche en bois, les tentacules sinuaient dans toutes les directions ; ils longeaient la surface de l'évier, surmontaient les obstacles, se rejoignaient, parfois se superposaient. Les plus longs pendaient dans le vide en différents endroits. Kabrowinski déposa son couteau et, se tournant vers moi, m'apprit qu'il commençait à acquérir le coup de main. À son sens, et bien qu'il restât encore cinq poulpes emmêlés dans l'évier, il ne lui faudrait pas plus d'un quart d'heure pour terminer de les décortiquer. Tant mieux, tant mieux, pensais-je en me fouillant les poches à la recherche de mes cigarettes. Je les avais laissées dans ma chambre.

30) Des débats ont été engagés, dirait l'ambassadeur, des suggestions émises, des conclusions tirées et des programmes adoptés.

Ces projets, qui ont été élaborés dans le sens de l'harmonisation des textes, visent, à travers une définition précise des études préalables, à renforcer la mise en œuvre des dispositions établies lors de la précédente réunion. Les mêmes dispositions tendent, du reste, à inspirer aux participants une programmation plus rigoureuse de leurs activités d'étude pour une meilleure maîtrise des projets, de manière à mettre en œuvre les modalités d'une amélioration de l'efficacité pratique des capacités. Compte tenu des grands espoirs nourris par les participants, ils se sont entendus pour conjuguer leurs efforts dans les domaines de la responsabilité, de la fidélité et de la cohésion. Davantage. Ils attendent — et l'expression est de la bouche même du président de séance — une multiplication des efforts en vue de réaliser les principaux objectifs assignés. Vous avez un saladier ? demanda Kabrowinski. Pardon ? Un saladier, répéta-t-il en mimant approximativement un saladier.

31) Le corps légèrement incliné, Kabrowinski faisait glisser avec amour, la planche penchée, de fines rondelles de poulpe dans un récipient. Il lui avait fallu ouvrir tous les pla-

cards, déplacer les casseroles, sortir les brocs et les bassines, les égouttoirs et les fait-tout, avant de trouver au fond de quelque armoire ce compotier verdâtre en méchant plastique transparent. Kovalskazinski Jean-Marie avait cherché aussi, mais avec moins de conviction, s'étant contenté de faire le tour de la cuisine avec un regard attentif. Le poulpe avait été entièrement découpé, le corps en lamelles, les tentacules en rondelles et, décomposé, constituait l'amas en mouvement que Kabrowinski faisait dévaler au fond du récipient à l'aide de son couteau. L'opération terminée, il empoigna un deuxième poulpe dans l'évier, l'éleva très haut au-dessus de nos têtes et, en souplesse, les genoux fléchis, l'allongea sur la planche dans un mouvement enveloppant. Depuis quelques instants déjà, je savais que j'allais quitter la cuisine (j'avais un peu froid).

32) Je m'étais levé, et je sortais de la cuisine pour aller chercher un pull dans ma chambre. Avant de franchir le pas de la porte, je m'inclinai légèrement, le sourire désolé, pour laisser entendre à mes hôtes que je les quittais à regret. L'appartement était silencieux. Je marchais sans bruit. Combien de fois avais-je ainsi

parcouru le vestibule, avais-je tourné à gauche et ensuite à droite, dans le couloir, pour regagner ma chambre de mon pas régulier ? Et combien de fois avais-je fait le trajet inverse ? Je me le demandais. Dans le couloir, des portes étaient entrouvertes. Issues de leurs entrebâillements, des traînées de lumière grise se confondaient sur le tapis ; mes chaussures en mouvement accueillaient de pâles éclats croisés. Je tournai à droite et entrai dans ma chambre. Debout devant la fenêtre, je me frictionnai les bras, la poitrine. Avec mon doigt, je faisais des dessins sur le carreau, traçais des lignes dans la buée, des courbes interminables (dehors, c'était toujours aussi parisien).

33) Il y a deux manières de regarder tomber la pluie, chez soi, derrière une vitre. La première est de maintenir son regard fixé sur un point quelconque de l'espace et de voir la succession de pluie à l'endroit choisi ; cette manière, reposante pour l'esprit, ne donne aucune idée de la finalité du mouvement. La deuxième, qui exige de la vue davantage de souplesse, consiste à suivre des yeux la chute d'une seule goutte à la fois, depuis son intrusion dans le champ de vision jusqu'à la dis-

persion de son eau sur le sol. Ainsi est-il possible de se représenter que le mouvement, aussi fulgurant soit-il en apparence, tend essentiellement vers l'immobilité, et qu'en conséquence, aussi lent peut-il parfois sembler, entraîne continûment les corps vers la mort, qui est immobilité. Olé.

34) Il pleuvait à verse maintenant : comme si toute la pluie allait tomber, toute. Les voitures ralentissaient sur la chaussée trempée, des gerbes d'eau morte s'élevaient de chaque côté des pneus. À part un ou deux parapluies qui fuyaient horizontalement, la rue paraissait immobile. Les gens s'étaient réfugiés devant l'entrée de la poste et, groupés les uns contre les autres, attendaient l'accalmie sur le perron étroit. Je fis demi-tour et allai ouvrir l'armoire ; je fouillai les tiroirs. Des sous-vêtements, des chemises, des pyjamas. Je cherchais un pull. N'y avait-il nulle part un pull ? Je ressortis de la chambre et, écartant du pied les pots de peinture qui encombraient le passage, ouvris la porte du débarras. Penché en avant dans le cagibi, je déplaçais des caisses, ouvrais des valises à la recherche d'un vêtement chaud.

35) Des coquillages, pierres de collection, agates en lamelle, timballes, coquetiers, napperons, mouchoirs, dentelles, châles, huiliers, pendentifs, boîtes laquées, tire-bouchons, outils anciens, couteaux de berger, couteaux en argent, tabatières en ivoire, assiettes, fourchettes, santons, netsukes. J'avais réussi à déverrouiller une grosse malle en fer, couverte de cadenas et de ficelles effilochées, et je m'étonnais de trouver tout ce merdier à l'intérieur, qui avait dû appartenir aux anciens locataires, des sybarites à en juger par l'élégance des estampes.

36) Les anciens locataires, nous les avions rencontrés la veille de notre installation. Avant de nous céder les lieux, ils avaient souhaité faire notre connaissance. Ils nous adressèrent un coup de téléphone pour nous convier à venir prendre l'apéritif. Nous nous présentâmes chez eux le soir même, nous avions apporté une bouteille de bordeaux. L'ancien locataire, homme distingué, regardant la bouteille, estima que c'était du très bon vin, mais nous confessa avec un rire prudent qu'il n'aimait pas le bordeaux, préférant

le bourgogne. Je répondis que moi, je n'aimais pas tellement la façon dont il était habillé. Son sourire fut gêné, il rougit. Il y eut un certain froid du reste, la conversation ne reprit pas tout de suite. Nous étions tous les quatre debout dans le vestibule, les bras croisés, les yeux baissés ; Edmondsson regardait les tableaux. L'ancienne locataire, avec un grand sourire, mit fin au malaise en nous invitant à passer au salon. Là, entre des caisses de déménagement, nous prîmes place sur des chaises de camping. L'ancien locataire apporta des olives dans un bol de terre cuite et une bouteille de bourgogne, qu'il déboucha avec cérémonie. Il fallut se relever et replier nos chaises pour atteindre la caisse dans laquelle se trouvaient les verres en cristal qui, recouverts de papier de soie, avaient été soigneusement déposés entre deux couches de vieux journaux. Lorsque je fus servi, après avoir dit combien je trouvais le vin bon, l'ancien locataire mis en confiance, visiblement plus à son aise, renoua son foulard et nous parla de lui, de son passé, de son métier. Il était commissaire-priseur. Sa femme était originaire de Nîmes. Ils s'étaient rencontrés sur la côte Esmeralda, en Sardaigne. S'ils avaient décidé de déménager, c'est qu'ils en avaient assez de vivre à Paris. Ils avaient besoin de recul, d'air pur, de campagne (d'avance l'enchantait l'idée d'être réveillé par le pépiement des oiseaux). Comme à la fin de l'année il allait prendre sa retraite, ils s'installeraient définitivement en Normandie, dans une fermette retapée. Cette perspective le réjouissait. Il allait pouvoir pêcher, chasser, bricoler. Il écrirait un roman. Et vous aurez un jardin ? demandai-je pour éviter qu'il ne nous racontât le sujet de son roman, les péripéties, les rebondissements. Un très grand jardin, répondit-il, presque un parc, nous allons pouvoir faire de longues promenades dans les sous-bois, n'est-ce pas Brigitte ? Brigitte acquiesça, nous sourit et nous proposa une olive. En reposant le bol sur la caisse, elle se tourna vers moi et me demanda ce que je faisais dans la vie. Moi ? dis-je. Comme je gardais le silence, Edmondsson répondit à ma place. Après s'être régalés d'apprendre que j'étais chercheur, les anciens locataires à tour de rôle me posèrent des questions sur mes travaux, formulèrent des remarques, exprimèrent leur avis. Ils parlaient avec enthousiasme, tâchaient d'être persuasifs, finirent par me donner des conseils. À ma place, disaient-ils, ils auraient procédé différemment. Je recrachais mon noyau dans la paume de ma main, approuvant de la tête, n'écoutant pas vraiment. Lorsqu'ils m'eurent expliqué ce que devaient être les grandes lignes de la conclusion de ma thèse, ils se levèrent, persuadés de m'avoir convaincu, et nous proposèrent de visiter l'appartement afin de nous faire part de quelques informations pratiques. Nous nous mîmes en marche. Ils nous précédaient dans les pièces, nous décrivaient ce que l'on voyait. Nous faisions le tour des chambres de la manière dont on visite un musée, les mains derrière le dos, avec un détachement intéressé. Dans la salle de bain, ils insistèrent sur le fait que la plomberie avait été entièrement refaite à leurs frais, que le miroir mural était neuf, ils avaient la facture, et que le carrelage avait moins de deux mois. La moquette de la chambre à coucher leur avait coûté cinquante-six francs le mètre. Les porte-manteaux du couloir, dont les patères étaient en merisier, valaient plus de six cents francs pièce. Le lustre du vestibule était d'époque, on pouvait évaluer sa valeur à près de trois mille francs. Nous écoutions ces chiffres avec attention, Edmondsson me souriait en douce, j'avais envie de demander le prix de la porte du salon. De retour dans la salle de séjour, ils nous firent asseoir, remplirent nos verres et, avec de remarquables sourires embarrassés, nous suggérèrent de racheter toutes les installations fixes de l'appartement. Sinon, disaient-ils, il fallait les comprendre, ils se verraient obligés de démonter les étagères et de retirer la moquette. Edmondsson, parfaite pour les questions d'argent, répondit immédiatement que nous n'avions pas besoin d'étagères et, pour ce qui était de la moquette, elle leur serait en effet reconnaissante de bien vouloir débarrasser le sol de la chambre pour qu'on pût y disposer notre tapis.

37) Nous avons fait le tour de l'appartement vide. Nous avons bu du bordeaux assis sur le parquet. Nous avons vidé les caisses, déficelé les cartons, défait les valises. Nous avons ouvert les fenêtres pour faire disparaître l'odeur des anciens locataires. Nous étions chez nous ; il faisait froid, nous nous querellions au sujet d'un chandail que nous voulions tous les deux revêtir.

38) La crémaillère fut pendue. Le couple que nous avions invité arriva très en avance. C'était des amis d'enfance d'Edmondsson. Ils s'installèrent dans le canapé, nettoyèrent leurs lunettes en soufflant sur les verres. Pendant l'apéritif, je me retrouvai seul avec ces jeunes gens, Edmondsson ayant dû s'absenter pour préparer le dîner. Ils gardaient le silence. Ils se croisaient les jambes, regardaient les murs autour d'eux. Après m'avoir adressé quelques sourires polis, ils se désintéressèrent de moi et commencèrent à converser ensemble à voix basse. Sans plus me prêter attention, ils évoquaient des soirées récentes, des souvenirs de vacances, leur dernier séjour aux sports d'hiver. Puis, comme Edmondsson ne revenait pas, ils prirent des magazines qui se trouvaient à leur portée. Ils les feuilletaient, se montraient mutuellement les photos. Je me levai, mis un disque et allai me rasseoir. Ah quel bonheur à la porte du garage, quand tu parus dans ta superbe auto, papa, il faisait nuit mais avec l'éclairage, on pouvait voir jusqu'aux flancs du coteau. Charles Trénet, dis-je. Nous partirons sur la route de Narbonne, toute la nuit le moteur vrombira, et nous verrons les tours de Carcassonne se pro-

filer à l'horizon de Barbaira. Vous n'avez pas de disques de Frank Zappa ? me demanda Pierre-Étienne avec une supériorité amusée. Non aucun, dis-je. Je terminai mon verre de whisky à petites gorgées et le déposai sur la table. De la cuisine, Edmondsson cria qu'elle n'aurait pas fini avant une dizaine de minutes. En attendant, continua-t-elle à tue-tête, je serais gentil de faire visiter l'appartement à nos amis. Nos amis refermèrent leurs journaux et, se donnant le bras, me suivirent dans le couloir étroitement enlacés. Nous commençâmes par la salle de bain. Je m'assis sur le rebord de la baignoire, leur laissant tout loisir d'admirer à leur aise. Ensuite, je leur fis voir la chambre à coucher. Ils s'attardèrent devant la bibliothèque, retiraient des livres des rayons, les remettaient en place. Je les attendis dans le couloir. Lorsque nous passâmes devant les toilettes, j'ouvris la porte et, avançant vers eux, maniant le bras pour les diriger dans la direction souhaitée, parvins à les faire entrer tous les deux. Ils ressortirent au plus vite et, à pas lents, regardant à droite et à gauche, reprirent le chemin du salon. Edmondsson finit par nous rejoindre. Elle s'excusa de s'être fait attendre et leur demanda ce qu'ils avaient pensé de l'appartement. La main dans la main, nos amis estimèrent que c'était petit — mais bien proportionné. On passa à table. Nous mangions les asperges ; ils parlaient de politique internationale, de diplômes universitaires. Comme s'il s'adressait à ses grands-parents, Pierre-Étienne nous faisait savoir qu'il poursuivait de brillantes études. Il était licencié en droit, avait une maîtrise de sciences politiques et envisageait d'obtenir un diplôme d'enseignement approfondi d'histoire du vingtième siècle. Mais, pour ce dernier diplôme, il craignait la sélection d'entrée ; parmi les candidats, expliquait-il en mangeant proprement, figuraient des énarques, des polytechniciens. Des discoboles, dis-je en reprenant une asperge. J'ajoutai, et je devenais sérieux, qu'il serait marrant que je fisse partie du jury. On crut que je plaisantais. Je laissai dire mais, si d'aventure T. me demandait de le seconder pour les entretiens de sélection, je n'eusse pas aimé être le candidat Pierre-Étienne. Après le dîner, nous avons fait une partie de Monopoly. Je servais les whiskies. Nous nous passions les dés, construisions des maisons, bâtissions des hôtels. La partie languissait. Nos amis se pelotaient les avant-bras, se caressaient les doigts lorsqu'ils jettaient les dés ; on bavardait, Pierre-Étienne se demandait s'il y aurait une troisième guerre mondiale. J'en avais rien à cirer. J'allai me coucher après les avoir écrasés (il n'y a pas de secret, au Monopoly).

39) C'était un pull en grosse laine blanche, un pull à larges côtes, qui, ramassé sur lui-même, présentait l'allure d'un sac de pommes de terre à l'abandon. Sur la poitrine s'entre-croisaient des losanges blancs et beiges ; des protège-coudes en cuir brisaient le cheminement des manches. Je ramassai le vêtement qui se trouvait en boule sur le sol du débarras, et le dépliai dans le vestibule pour le considérer. Il était petit : Edmondsson avait dû le porter lorsqu'elle était jeune fille. Je retirai ma veste et l'enfilai. À peu de choses près (?), cela pouvait convenir.

40) Assis au fond de la cuisine, la tête baissée, je tirais sur les manches de mon pull pour essayer de me recouvrir une partie des poignets. Les Polonais, chose surprenante, ne parlaient pas. Kovalskazinski Jean-Marie

continuait de maintenir la tête d'un mollusque sur la planche en bois. Il avait les mains très rouges, mouillées, contractées. Il perdait patience, me semblait-il, commençait à avoir mal au dos. À chaque fois que le couteau survolait la poche beige blottie dans la calotte, il mettait sèchement Kabrowinski en garde de ne pas la percer, car elle renfermait l'encre. Kabrowinski n'en croyait rien, qui disait que c'était le foie et, pour le prouver, d'un coup sec, il enfonça l'opinel dans l'organe. L'encre ne se libéra pas tout de suite, quelques gouttes d'abord, extrêmement noires, émergèrent à la surface, puis d'autres gouttes et enfin un filet, qui glissa lentement sur la planche. Kovalskazinski Jean-Marie dénoua le torchon qui lui entourait la taille et, se désintéressant de la situation, vint s'asseoir à côté de moi. Le visage tendu, il alluma une cigarette et, moitié en français moitié en polonais, reprocha à Kabrowinski de ne pas avoir demandé au poissonnier de dépouiller lui-même les poulpes de leur peau. D'autant, disait-il, qu'il en restait encore quatre, intacts, dans l'évier. Kabrowinski n'écoutait pas. Il avait trempé son doigt dans l'encre et expliquait que c'était avec l'encre des seiches qu'était faite la sépia. Dans sa jeunesse, il avait peint de très beaux lavis. Oui. Rêveur, il passa le poulpe sous le robinet et le rinça longuement. Avec une éponge, il essuya la planche et, lorsque le poulpe rincé fut de nouveau en place, il demanda à Jean-Marie Kovalskazinski de bien vouloir le rejoindre...

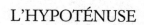

L'HYPOTÉNUSE

1) Je partis brusquement, et sans prévenir personne. Je n'avais rien emporté. J'étais vêtu d'un costume sombre et d'un pardessus bleu. Je marchais dans la rue : les arbres, le trottoir, quelques passants. En débouchant sur la place, j'aperçus l'autobus. J'accélérai le pas, traversai l'avenue en courant et montai à la suite des autres voyageurs. L'autobus se mit en route. Je m'assis au fond, dans le boudoir circulaire. Les vitres étaient couvertes de pluie. Deux personnes se trouvaient en face de moi, une dame, un homme qui lisait le journal. Les chaussures de mon vis-à-vis étaient mouillées, une mince flaque d'eau se dessinait autour de ses semelles. Nous traversâmes la Seine, la retraversâmes au pont d'Austerlitz. À chaque arrêt, j'observais les gens qui montaient, surveillais les visages. Je craignais de rencontrer quiconque. Parfois, un profil entraperçu m'effrayait et je baissais

la tête car il me semblait reconnaître quelqu'un mais, dès que la personne me faisait face, la vue de son visage inconnu me soulageait et, avec bienveillance, je la suivais des yeux jusqu'à ce qu'elle eût pris place. Je descendis au terminus, et me dirigeai vers la gare. J'errai quelque peu dans le hall. Je pris un billet, essayai d'obtenir une couchette, mais il était trop tard : le train était sur le point de partir.

2) Le lendemain, le train arriva. Je descendis sur le quai, traînai dans la gare les mains dans les poches de mon élégant manteau. À côté de la grande baie vitrée, dans un renfoncement, se trouvaient les locaux du Syndicat d'initiative. Je regardai les photos, les affiches. Derrière le comptoir, une demoiselle téléphonait, prenait des notes de la main droite. Lorsqu'elle eut raccroché, j'entrai et, m'étant assuré qu'elle parlait français, lui demandai de me réserver une chambre d'hôtel. Single ou matrimoniale ? me demanda-t-elle. Je la regardai avec suspicion. Non, elle ne parlait pas français. C'est pour moi, criai-je en faisant de grands gestes pour me désigner de la tête aux pieds.

3) Je fis le tour de la chambre. Le lit était couvert d'un édredon brun-rouille. Un lavabo saillait du mur, sous lequel se trouvait un bidet en plastique. Une table ronde et trois chaises étaient bizarrement disposées au centre de la pièce. La fenêtre était grande, il y avait un balcon. Sans retirer mon manteau, je fis couler de l'eau dans le lavabo, libérai un minuscule savon de son emballage et me lavai les mains. La tête tendue de profil, j'observais mon visage dans la glace, me penchais en avant pour mieux voir mon cou parsemé de poils sombres, épars. L'eau continuait de couler sur la faïence. Et sur mon écharpe aussi, maintenant.

4) J'avais passé la nuit dans un compartiment de train, seul, la lumière éteinte. Immobile. Sensible au mouvement, uniquement au mouvement, au mouvement extérieur, manifeste, qui me déplaçait malgré mon immobilité, mais aussi au mouvement intérieur de mon corps qui se détruisait, mouvement imperceptible auquel je commençais à vouer une attention exclusive, qu'à toutes forces je voulais fixer. Mais comment le saisir ? Où le

constater ? Les gestes les plus simples détournèrent l'attention. Je tendis mon passeport vert à un policier italien.

5) Je sortis de l'hôtel après avoir mis mon écharpe à sécher sur le radiateur. Dans la rue, je frottais ma langue contre mes dents, contre mon palais. J'avais un goût de train dans la bouche, les vêtements moites. J'époussetais mes manches, marchais en secouant mon manteau. Les rues étroites imposaient une direction, je continuais tout droit sans réfléchir, traversais des ponts. Je trouvai une banque où changer de l'argent. Je fis l'acquisition d'un transistor bon marché. Je bus un café succinct, demandai des cigarettes. Dans un grand magasin Standa, j'achetai un pyjama, deux paires de chaussettes, un caleçon. Les bras chargés de sachets, je fis une dernière halte dans une pharmacie. La porte d'entrée grinçait. Le pharmacien ne comprenait pas très bien où je voulais en venir. Je dus déposer mes paquets sur le comptoir pour lui mimer la brosse à dents, les rasoirs, le savon à barbe.

6) De retour à l'hôtel, je me perdis dans les étages. Je suivais des couloirs, montais des

escaliers. L'hôtel était désert ; c'était un laby-
rinthe, nulle indication ne se trouvait nulle
part. Au détour d'un palier tapissé de liège,
agrémenté de plantes vertes, je finis par
retrouver le corridor qui menait à ma chambre. Je vidai mes sachets sur la table, enlevai
mon manteau. Je me laissai tomber sur le lit.
Je passai le reste de la matinée là, couché sur
un flanc, essayant vainement de régler mon
transistor. Je tripotais tous les boutons, passais
en modulation de fréquence, revenais en
ondes longues. L'appareil grésillait. Je le
secouais, réorientais l'antenne.

7) Je ne descendis pas déjeuner.

8) La salle de bain se trouvait à l'étage
inférieur. Pour m'y rendre, je devais suivre
un long corridor, descendre un escalier en
colimaçon et, sur le palier, prendre la première porte à gauche. La femme de chambre
m'avait indiqué l'itinéraire le matin même.
Tout habillé, cela ne présentait aucune difficulté. Mais je me trouvais en sous-vêtement,
avec ma serviette et mes affaires de toilette,
plaqué contre la paroi de l'escalier, attendant
qu'un couple se décidât, soit à entrer, soit à

sortir de sa chambre. Pour une raison qui m'échappait, ils n'y semblaient pas décidés. Je les entendais converser — en français — sur le palier, vraisemblablement sur le pas de leur porte, des œuvres du Titien, de Véronèse. L'homme parlait d'émotion véritable, de sensation pure. Il se disait touché par les tableaux de Véronèse, sincèrement touché, indépendamment, disait-il, de toute culture picturale (ce sont sûrement des Français, me dis-je). Recroquevillé contre le mur, m'impatientant de plus en plus, je guettais tous les bruits aux étages supérieurs de peur d'être surpris en caleçon, immobile, dans la cage d'escalier. Aussi, entendant soudain un bruit de pas au-dessus de moi, je résolus de continuer ma route, quitte à braver les regards du couple sur le palier. Je me dépêchai de descendre les dernières marches qui me séparaient d'eux, ralentis et, disposant au mieux ma serviette autour de ma taille, pris le tournant en affectant l'air le plus dégagé qui soit. Je me trouvai dans le bar de l'hôtel. Il était quasiment désert. Un couple assis sur un canapé se retourna pour me considérer. Le barman ne leva pas les yeux.

9) Les murs de la salle de bain étaient vert clair, la peinture gondolait par endroits. Après avoir fermé la porte à clé, je retirai mon caleçon, que je pendis à la poignée. Je me douchai dans la baignoire, me séchai, rentrai dans ma chambre en grelottant, la serviette sur mes épaules. Les sous-vêtements neufs se trouvaient sur la table. Avec mes dents, je séparai les chaussettes qui étaient liées par un fil. La laine était douce, sentait bon. Je mis les chaussettes propres, le caleçon neuf. Je me sentais bien. Je traînai quelque peu ainsi dans la chambre ; je tirais sur l'élastique de mon slip, lisais les notices punaisées sur la porte, les consignes de sécurité, le prix des chambres, du petit déjeuner. Revenant vers la table, j'enfilai mon pantalon et remis ma chemise sale qui puait aux aisselles.

10) L'après-midi n'en finissait pas, comme toujours à l'étranger, où les heures, le premier jour, paraissent appesanties, semblent plus longues, plus lentes, interminables. Couché sur mon lit, je regardais le jour gris qui traversait la fenêtre. La chambre commençait à devenir sombre. Les meubles s'estompaient, s'amenuisaient dans la pénombre. Mon tran-

sistor était réglé sur une station quelconque qui écoulait du rock and roll. Je l'écoutais à plein volume et mon pied en chaussette, sur l'édredon, bougeait en rythme imperceptible-ment.

11) Je descendis dîner. La salle à manger de l'hôtel était une petite pièce. Des rideaux lourds, en velours bordeaux, étaient tirés et renforçaient le sentiment d'intimité, d'exi-guïté. Les tables, élégamment dressées, étaient pour la plupart inoccupées. Une femme seule, âgée, occupait un angle. Dans le prolongement de la porte, je pouvais voir une partie du salon de l'hôtel, où scintillait un écran de télévision. Le son de l'appareil avait dû être coupé, il n'y avait aucun bruit. Dans la salle à manger, du reste, régnait un silence absolu que soulignaient, de temps à autre, les brefs sons métalliques des couverts de la vieille dame qui mangeait derrière moi. Après le dîner, je me rendis dans le salon voisin et m'assis devant la télévision, où défi-laient silencieuses, incompréhensibles, des images de catastrophe.

12) En l'absence de son, l'image est impuis-

sante à exprimer l'horreur. Si les dernières secondes de la vie des quatre-vingt-dix milliards d'hommes qui sont morts depuis que la terre existe avaient pu être filmées et projetées d'affilée dans une salle de cinéma, le spectacle, à mon sens, eût lassé assez vite. En revanche, si les cinq dernières secondes de leurs vies, les ultimes bruits de leurs souffrances, l'ensemble de leurs souffles, de leurs râles, de leurs cris, avaient pu être enregistrés, mixés ensuite sur une bande unique et livrés au public, à pleine puissance, dans une salle de concert, ou dans un Opéra... Une vue générale d'un stade de football interrompit ma réflexion, deux équipes s'échauffaient sur le terrain. Je me levai précipitamment et, accroupi en face de l'appareil, tâchai d'obtenir le son.

13) L'Inter de Milan affrontait les Glasgow Rangers en huitième de finale de la Coupe d'Europe des vainqueurs de Coupe. La rencontre avait lieu en Écosse. Pour préserver leurs chances au match retour, les Italiens fermèrent le jeu, se cantonnèrent en défense. La partie demeurait morne. Quelques belles actions, malgré tout, m'émurent ; il m'arriva de me pencher brusquement en avant, une

main au sol, pour me rapprocher de l'écran. À la vingt-cinquième minute de la seconde mi-temps, le barman vint me rejoindre devant la télévision. Avant de prendre place, il alla machinalement bouger l'antenne, régler le contraste. Le dernier quart d'heure de la rencontre fut animé. Les Écossais procédaient par passes longues, n'hésitaient pas à tirer, tâchant d'ouvrir la marque dans les dernières minutes. Lorsqu'un tir des trente mètres alla s'écraser sur le poteau, je retins mon souffle et échangeai un regard significatif avec le barman. J'allumai une cigarette et me retournai car je sentais une présence dans mon dos. Debout derrière nous, sur le pas de la porte, se tenait le réceptionniste.

14) Le lendemain, je me réveillai de bonne heure, passai une journée calme.

15) Je commençais à bien connaître l'hôtel, je ne me perdais plus dans les couloirs. Les repas étaient servis à intervalles réguliers, je prenais le petit déjeuner très tôt, généralement seul dans la salle à manger. Je dînais seul aussi, un peu avant vingt heures. Nous n'étions pas plus de cinq clients dans l'hôtel. Parfois, au

détour d'un escalier, il m'arrivait de croiser le couple de Français. J'eus même la surprise, un matin, de les voir entrer dans la salle à manger aux aurores. Ils traversèrent la salle sans me saluer, m'accordant un regard indifférent lorsqu'ils passèrent à côté de moi. Malgré l'heure matinale, à peine assis, ils entreprirent de converser (c'était sûrement des Parisiens de longue date). Ils parlaient de beaux-arts, d'esthétique. Leurs raisonnements, absolument abstraits, me paraissaient d'une suave pertinence. S'exprimant en termes choisis, l'homme déployait une grande érudition, ne manquait pas de cynisme. Elle, elle se cantonnait à Kant, se beurrait une tartine. La question du sublime, me semblait-il, ne les divisait qu'en apparence.

16) Tous les jours, en fin de matinée, la femme de chambre venait faire le ménage dans ma chambre. Lui confiant les lieux, j'enfilais mon pardessus et allais me réfugier au rez-de-chaussée. Je tournais en rond dans le hall, les mains dans les poches, jusqu'au moment où je la voyais réapparaître en haut de l'escalier, bleu ciel, avec son seau et son balai. Je remontais alors dans ma chambre et trouvais le lit

fait, les affaires de toilette parfaitement agen-
cées sur la tablette du lavabo.

17) Lorsque je sortais de l'hôtel, je m'éloignais rarement. Je restais dans les rues avoisinantes. Une fois, cependant, il me fallut
retourner au grand magasin Standa : j'avais
besoin de chemises, mon caleçon neuf deve-
nait sale. Le magasin était très lumineux. Je
marchais lentement dans les allées, ainsi
qu'un inspecteur, caressant la tête d'un enfant
de temps à autre. Je m'attardais devant les
vêtements, choisissais des chemises, touchais
la laine des pull-overs. Au rayon des jouets,
j'achetai un jeu de fléchettes.

18) De retour dans ma chambre, je vidai le
sachet, déchirai l'emballage en plastique qui
recouvrait le jeu. Un disque d'une grande
sobriété, strié de cercles concentriques,
accompagnait six fléchettes dont l'empenne,
arrondie, était décorée de plumes. J'accrochai
la cible sur un des battants de l'armoire et,
m'éloignant pour avoir du recul, la considérai
avec satisfaction.

19) J'étais très concentré lorsque je jouais

aux fléchettes. Immobile contre le mur, j'en serrais une entre mes doigts. Tout mon corps était tendu, mes yeux étaient intenses. Je fixais le centre de la cible avec une détermination absolue, faisais le vide dans ma tête — et lançais.

20) Les après-midi s'écoulaient paisiblement. Quand je faisais la sieste, je me réveillais de mauvaise humeur, les mâchoires engourdies. Boutonnant mon pardessus, je descendais au bar qui, à cette heure, était particulièrement désert. Dès qu'il me voyait arriver, le barman quittait son fauteuil et, à pas lents, me précédait jusqu'au comptoir. Sans que j'eusse besoin de dire quoi que ce soit, il vissait sèchement un filtre dans le percolateur, déposait une soucoupe devant moi. Lorsqu'il m'avait servi, il avançait le sucrier jusqu'à ma tasse, s'essuyait les mains et, reprenant son journal, allait se rasseoir dans son fauteuil.

21) J'achetais un quotidien presque tous les jours. Je regardais les photos, lisais la rubrique météorologique, très claire, qui comportait un dessin stylisé du mouvement des nuages et un relevé des températures

minimales et maximales, constatées ou pré-
vues, pour le jour même et pour le lendemain.
Je parcourais les pages de politique internationale aussi, consultais les résultats sportifs,
les annonces de spectacle.

22) Peu à peu, je commençais à sympathi-
ser avec le barman. Nous échangions des incli-
nations de tête chaque fois que nous nous croi-
sions dans les escaliers. Lorsque j'allais
prendre mon café, en fin d'après-midi, il nous
arrivait de converser. Nous parlions de football, de courses automobiles. L'absence d'une
langue commune ne nous décourageait pas ;
sur le cyclisme, par exemple, nous étions inta-
rissables. Moser, disait-il. Merckx, faisais-je
remarquer au bout d'un petit moment. Coppi,
disait-il, Fausto Coppi. Je tournais ma cuillère
dans le café, approuvant de la tête, pensif.
Bruyère, murmurais-je. Bruyère ? disait-il.
Oui, oui, Bruyère. Il ne semblait pas
convaincu. Je pensais que la conversation s'en
tiendrait là, mais, alors que je me disposais à
quitter le comptoir, me retenant par le bras,
il m'a dit Gimondi. Van Springel, répondis-je.
Planckaert, ajoutai-je, Dierieckx, Willems,
Van Impe, Van Looy, de Vlaeminck, Roger de

Vlaeminck et son frère, Éric. Que pouvait-on répondre à cela ? Il n'insista pas. Je payai le café et remontai dans ma chambre.

23) Les fléchettes ne s'enfonçaient pas bien dans la cible. Parfois, après s'être imparfaitement plantées, déséquilibrées par la masse trop lourde du manche, elles retombaient sur le sol. Cela me contrariait à chaque fois. Assis sur le bord du lit, j'aiguisai les pointes avec une lame de rasoir.

24) Je me réveillai en pleine nuit. Seul. Après avoir rôdé quelque temps en pyjama dans ma chambre, je revêtis mon pardessus et sortis dans le couloir, pieds nus, les bras tendus devant moi. L'hôtel était sombre. Je descendis les escaliers en regardant autour de moi. Les meubles présentaient des formes humaines, plusieurs chaises me fixaient. Des ombres noires et grises, ocellées, çà et là, m'effrayaient. Je rentrais la tête dans les épaules, resserrais le col de mon manteau. Au rez-de-chaussée, tout était silencieux. La porte d'entrée avait été condamnée pour la nuit, les volets étaient tirés. Je traversai le hall sans faire de bruit et, allumant mon briquet pour

me guider dans le noir, suivis le couloir jusqu'à l'office. Là, hésitant sur la voie à suivre, j'ouvris une porte vitrée qui donnait accès aux cuisines. Éclairé par la flamme minuscule de mon briquet, je fis le tour de la pièce, les pieds nus sur le carrelage froid. Tout était en ordre, propre, parfaitement rangé. Deux grandes tables vides se trouvaient contre un mur. L'évier brillait. J'allai refermer la porte derrière moi, et m'étant assuré que personne ne m'avait suivi, ouvris tout doucement le réfrigérateur (à la recherche d'une cuisse de poulet).

25) Le lendemain, je finis par donner de mes nouvelles à Edmondsson. Je quittai l'hôtel et, dans la rue, demandai le chemin de la poste à un homme qui courait (j'ai toujours pris plaisir à demander des renseignements à des gens pressés). Il m'indiqua rapidement une direction du doigt et voulut m'éviter pour continuer sa route, mais, lui bloquant courtoisement le passage, je lui demandai quelques éclaircissements. À ce moment-là, il s'immobilisa vraiment et, prenant la peine de se retourner, avec beaucoup de patience, me donna toutes les indications nécessaires. Je

trouvai facilement. C'était un bureau de poste moderne, avec un comptoir en bois lisse, des cabines téléphoniques. Quelques personnes s'affairaient le long d'un pupitre où se trouvaient des formulaires en pile, des stylos accrochés à des chaînettes. Je traversai la salle et, au premier guichet venu, m'enquis de la démarche à suivre pour envoyer un télégramme. On me tendit un imprimé. Je rédigeai un texte bref, notai l'adresse et le numéro de téléphone de l'hôtel. Edmondsson allait recevoir de mes nouvelles aujourd'hui même (j'avais envie de la revoir).

26) En rentrant à l'hôtel, je m'arrêtai pour prendre ma clef et, m'attardant devant le comptoir, demandai au réceptionniste s'il savait où il était possible de jouer au tennis. Il hésita, répondit qu'il y avait peut-être des courts dans quelque grand hôtel, mais qu'à son sens ils devaient être fermés en hiver. Pour préciser sa réponse, il ouvrit un catalogue, chaussa ses lunettes et, en tournant les pages, me dit que le mieux serait d'aller me renseigner au Lido. Je demandai comment faire pour m'y rendre. C'était facile. En sortant de l'hôtel, il fallait tourner immédiatement (reti-

rant ses lunettes, il passa le bras au-dessus du comptoir pour m'indiquer la direction), prendre la première à droite et continuer tout droit jusqu'au Palais des Doges. Là, je trouverais un vaporetto qui m'y conduirait.

27) En fin d'après-midi, alors que je jouais aux fléchettes dans ma chambre, le réceptionniste vint m'annoncer que l'on me demandait au téléphone. Je descendis et, prenant l'appareil sur le comptoir, tirant sur le fil, allai me réfugier dans un angle de la pièce. Accroupi contre le mur, j'eus à voix basse une longue conversation avec Edmondsson.

28) Les jours suivants, nous nous téléphonâmes encore, souvent. Nous étions attendris, à chaque fois, de nous entendre. Nos voix étaient fragiles, déséquilibrées par l'émotion (j'étais très intimidé). Mais nous restions sur nos positions : Edmondsson me demandait de rentrer à Paris, je lui proposais plutôt de venir me rejoindre.

29) Mes journées, maintenant, étaient rythmées par les coups de téléphone d'Edmondsson. Elle m'appelait de la galerie

chaque fois que son directeur venait à s'absenter (et, puisqu'elle ne payait pas la communication, il nous fallait rester en ligne le plus longtemps possible pour économiser un maximum d'argent). Lorsque nos conversations se faisaient trop longues, fatigué de rester accroupi à côté de l'appareil, je m'asseyais sur la moquette de l'entrée. Edmondsson me parlait et je me sentais bien ; je l'écoutais en fumant une cigarette, les jambes croisées, adossé contre le mur. À chaque fois que je relevais les yeux, troublé par mes regards, le réceptionniste affectait de s'affairer derrière son bureau. Il ouvrait des registres, relisait des fiches. Quand j'allais lui rapporter l'appareil, il me souriait rapidement, en faisant mine d'être incommodé par son travail.

30) Un jour que j'étais au téléphone, assis par terre dans le hall d'entrée, le combiné calé entre l'épaule et le menton, occupé à faire sortir une cigarette de mon étui, je vis entrer dans l'hôtel le couple de Français. Ils s'arrêtèrent à la réception, prirent leur clef et, conversant posément, passèrent devant moi pour regagner leur chambre (à mon avis, ils étaient venus à

Venise pour faire l'amour comme en mille neuf cent cinquante-neuf).

31) Après chaque repas, j'allais faire un tour au bar et je ramassais les revues qui traînaient sur les tables. Je remontais dans ma chambre et les feuilletais, couché sur le lit.

32) Je ne faisais rien. J'attendais constamment les coups de téléphone d'Edmondsson. Je ne quittais plus l'hôtel de peur d'en manquer un. Je ne faisais plus de sieste, ne m'attardais plus dans la salle de bain. Souvent, je m'asseyais sur une chaise dans l'entrée, et j'attendais en face du réceptionniste (j'avais besoin de me sentir proche d'Edmondsson).

33) Edmondsson me téléphonait de plus en plus souvent. Nous avions parfois, sur la ligne, de longs silences ensemble. J'aimais ces moments-là. Tout près de l'écouteur, je faisais des efforts pour entendre son souffle, sa respiration. Quand elle rompait le silence, sa voix prenait de la valeur.

34) Au téléphone, Edmondsson restait très douce avec moi ; elle me consolait si je le lui

demandais. Mais elle ne comprenait pas pourquoi je ne rentrais pas à Paris. Lorsqu'elle me posait la question, je me contentais de répéter à voix haute : Pourquoi je ne rentre pas à Paris ? Mais oui, disait-elle, pourquoi ? Y avait-il une raison ? Une seule raison que j'eusse pu avancer ? Non.

35) Edmondsson a fini par venir me chercher.

36) J'allai l'accueillir à la gare. Comme j'étais en avance, après avoir vérifié l'heure d'arrivée de son train sur le tableau d'affichage, je ressortis de la gare et m'assis sur les marches. Il faisait froid. Nous n'étions pas plus de quatre, chaudement vêtus, sur le perron. À côté de moi, une vieille dame, sans doute anglo-saxonne, rangeait avec soin un chandail dans son sac à dos. Un militaire fumait, les jambes allongées sur sa valise. Je regardais l'heure sans arrêt. Un peu avant dix-neuf heures dix-sept, je me levai et pris la direction du quai.

37) Le train arriva avec deux heures et demie de retard. Il y eut soudain du bruit

autour de moi, des portes qui s'ouvraient, des chocs de valise contre le sol, des voix, presque des cris. On passait devant moi, on me croisait. Des gens me frôlaient. J'attendais sur le quai, très droit, la tête en évidence. Dès qu'Edmondsson m'aperçut, elle me fit de larges signes avec les raquettes de tennis, avança vers moi en se balançant, gonflant les joues, me souriant. Elle accourut à ma rencontre. Je l'attendais. Elle me toucha le visage, me félicita de mes cheveux propres.

38) Nous nous dirigeâmes vers la sortie, côte à côte, à la suite des autres voyageurs ; je portais sa valise. De temps en temps, nous nous regardions furtivement, tendrement. Nous ne parlions pas. Au milieu du grand hall, s'arrêtant, Edmondsson déboutonna mon manteau et, passant la main dessous, me caressa le sein. Elle se remit en route la première, se retourna et me sourit. Sur les dents, elle avait une minuscule trace de rouge à lèvres.

39) J'avais réservé une table pour vingt et une heures. Lorsque nous arrivâmes au restaurant, bien qu'il fût plus de onze heures, le

maître d'hôtel, très accueillant, ne nous fit pas de reproches. Nous laissâmes la valise et les raquettes au pied d'un porte-manteau et le suivîmes dans la salle, nous-mêmes suivis d'une dame qui tâchait vainement de me mettre un ticket de vestiaire dans la main, et qui essaya même, lorsque je me débarrassai de mon pardessus, de s'emparer du vêtement ; mais je fus très prompt et, avec beaucoup de souplesse, réussis à éloigner le manteau de la portée de ses bras pour le mettre à l'abri. La dame regarda méchamment Edmondsson, et déposa le ticket sur la table. Edmondsson prit place en face de moi. Nous nous sentions bien. La table, joliment mise, procurait un sentiment de calme, de bien-être. Les verres étaient fins, les assiettes épaisses. Différentes sortes de pains, des tranches et de longues allumettes, garnissaient la corbeille.

40) Au dessert, j'attrapai discrètement mon pardessus que j'avais déposé sur le rebord de la banquette et, sans quitter ma chaise, l'enfilai, non moins discrètement. Edmondsson crut que je voulais partir, mais non. Je lui pris la main et la caressai. Simultanément, mon autre main, avec une rapidité de prestidigita-

teur, entrait dans la poche de mon manteau et en ressortait avec une petite boîte rectangulaire, que je déposai sur son poignet. C'était un cadeau. Edmondsson, surprise, bougea la main et la boîte tomba sur la nappe. Ses yeux riaient. Elle défit délicatement l'emballage. Il y avait des papiers, des papiers sous le papier, du papier de soie dans la boîte, tout autour de la montre.

41) En sortant du restaurant, nous nous attardâmes. Nous marchions lentement dans les ruelles, nous nous arrêtions au-dessus des ponts. Sur une petite place, bordée d'arbres, nous trouvâmes un banc et nous assîmes, posant les raquettes à côté de nous. Tout était silencieux. Des palais éclairés, sur la berge d'en face, illuminaient la nuit. Le canal était sombre, noir comme les nuages. L'eau, un instant figée, emmurait le perron d'une église, puis fondait en cascade, abandonnait les marches une à une.

42) Nous étions rentrés à l'hôtel. Edmondsson, qui s'était tout de suite déshabillée, ne portait plus qu'une chemise bleu ciel, largement ouverte, et se baladait dans la chambre

sur la pointe des pieds, une brosse à dents dans la bouche. Couché sur le lit, je lui faisais simplement remarquer que sous son ventre nu, à l'endroit de la barquette, subsistait une petite culotte en poil de zébu, en poil de zèbre. Elle baissa la tête pour regarder (et, au bout d'un moment, tira légèrement sur les poils pour protester de sa bonne foi).

43) Couchés tous les deux dans le lit, les jambes réunies sous les draps, nous feuille-tions un magazine féminin qu'Edmondsson avait rapporté de Paris. Je tournais les pages, et de temps en temps Edmondsson me faisait revenir en arrière, arrêtait ma main pour regar-der une photo. Au hasard des toilettes, nous donnions notre avis sur des robes, des tail-leurs, des cardigans. Nous évaluions la beauté des mannequins. Lorsque je trouvais une fille belle, qui ne plaisait pas à Edmondsson, elle haussait les épaules, me méprisait.

44) Le soleil, le lendemain matin, entrait dans la chambre quand je me réveillai. Sous les rideaux entrouverts, tout au long du mur, la lumière découpait des surfaces, traçait des contours brûlants sur le parquet. Malgré quel-

ques taches de clarté, très vives par endroits, la pièce, tout immobile, restait baignée dans un marais d'obscurité. Edmondsson, à côté de moi, était endormie : son visage était lisse ; sa bouche, déformée par le coussin, remontait légèrement. Au-dessus de sa tête, des particules de poussière brillaient dans un rayon oblique. Je me levai sans bruit et m'habillai. Avant de sortir de la chambre, retournant en silence vers le lit, j'allai la border (et je la regardais).

45) Le soleil traversait le couloir de part en part, toutes les vitres scintillaient, les plantes vertes resplendissaient. Il faisait clair, je marchais vite, j'étais heureux. Dans les escaliers, je me mis à sauter des marches, je courais presque en arrivant dans le hall. Le monsieur de la réception m'arrêta au passage. Elle est bien avec vous, la jeune femme ? me demanda-t-il. Edmondsson ? dis-je, elle est belle hein ? Le monsieur, très raide derrière son comptoir, réajusta gravement ses lunettes et, se penchant derrière le bureau, me tendit un passeport. Je l'ouvris et, posant le doigt sur la photo d'identité d'Edmondsson, lui fis confirmer que nous parlions bien de la même personne.

46) Penché en avant devant la vitrine, les mains autour des yeux, je regardais à l'intérieur du grand magasin Standa qui n'avait pas encore ouvert ses portes, tâchant d'attirer l'attention d'une vendeuse en donnant de petits coups de poing sur le carreau. Dès que l'une d'elle, finalement, me prêta attention je lui fis coucou respectueusement et, lui désignant ma montre, l'interrogeai du regard pour savoir à quelle heure ouvrait le magasin. Après quelques échanges de signes infructueux, elle se rapprocha de moi en traînant les pieds et, ouvrant bien grand les deux mains, me fit voir neuf doigts. Puis, avançant plus près encore, la poitrine et le ventre collés contre la vitre qui nous séparait à peine, la bouche pratiquement posée sur la mienne, elle articula lascivement : alle nove, en faisant naître entre nous un nuage de buée. Je regardai ma montre, il était huit heures et demie. Je m'éloignai, fis un tour dans le quartier. Finalement, je trouvai des balles de tennis ailleurs.

47) De retour dans la chambre, je refermai tout doucement la porte derrière moi et, posant la boîte de balles sur l'édredon, grimpai sans bruit sur le lit pour aller rejoindre

Edmondsson. Sans ouvrir les yeux, elle me dit qu'elle ne dormait pas et m'attira contre elle en me guidant lentement par les épaules. Elle me recueillit et ouvrit mon manteau, en silence, déboutonna ma chemise. Ses joues étaient chaudes de sommeil. Je soulevai les draps et me déposai dans son corps, nu contre sa peau, ventre contre ventre, le manteau ouvert par-dessus nous. Nous commençâmes à bouger ; nous bougions lentement et nous nous en savions gré. Plus tard, les couvertures se retournèrent : en tombant sur le sol, la boîte s'ouvrit et toutes les balles de tennis s'éparpillèrent sur le parquet.

48) Edmondsson se maquillait devant le lavabo. Elle avait ouvert un des rideaux, qu'elle avait coincé contre une chaise, et le soleil entrait largement dans la pièce. Couché sur le dos, je me prélassais dans le lit ; j'étendais mes jambes dans un rayon de soleil et je penchais la tête pour admirer les poils. Edmondsson me souriait dans le miroir. Lorsqu'elle fut prête, elle vint s'asseoir à côté de moi et me proposa d'aller prendre le petit déjeuner. Je m'habillai et nous quittâmes la chambre. Dans les escaliers, que nous descen-

dions l'un derrière l'autre, nous croisâmes le couple de Français. Dès qu'ils furent passés, Edmondsson me dit que le type était connu, que c'était J... d'Ormesson. Nous jouions de chance, décidément, dans nos voyages en Italie. Quelques années plus tôt, à Rome, nous avions eu la surprise de voir Ranger et Platone sortir d'un restaurant.

49) Assis en tête à tête à côté de la fenêtre, nous étions seuls dans la salle à manger de l'hôtel. À travers les rideaux de tulle que le soleil amincissait, on pouvait voir ce qui se passait dans la rue. Nous avions terminé le petit déjeuner. Les bras croisés, fumant une cigarette devant ma tasse de café vide, j'expliquais que j'avais acheté deux liquettes de chez Benetton, une jaune pâle et une bleue, mais que je n'avais pas de short. Edmondsson n'écoutait pas. Bon. Le club de tennis, poursuivais-je, je m'étais renseigné la veille au téléphone, était ouvert toute la journée, on pouvait louer des courts sans difficulté. Ce que je proposais, et qui me semblait le plus simple, était d'y aller avant le déjeuner. Éventuellement, ajoutai-je en souriant, on pourrait manger un morceau sur place. Mais tu m'écoutes ?

dis-je. Non, elle ne m'écoutait pas. Elle avait sorti de son sac un livre de peinture italienne et, absorbée dans sa lecture, le feuilletait en bougeant le nez.

50) Nous étions remontés dans la chambre et, assis de chaque côté du lit, nous ne disions plus rien. Nous nous étions tout dit, nous n'étions pas d'accord. Edmondsson, pour profiter du temps ensoleillé, voulait aller flâner dans les rues, se promener, visiter les musées. Selon elle, nous jouerions aussi bien au tennis en fin d'après-midi, si ce n'est mieux, disait-elle, car nous n'aurions pas le soleil dans les yeux. Devant tant de mauvaise volonté, je n'avais rien à dire ; non, je ne disais plus rien.

51) L'église — Saint-Marc — était sombre. Je suivais Edmondsson de mauvaise grâce, les mains enfoncées dans les poches de mon pardessus, faisant glisser mes semelles sur le dallage de marbre, qui gondolait. Çà et là, sur le sol, étaient des mosaïques. Je laissai Edmondsson partir de l'avant, à grands pas, vers les dorures et, en l'attendant, pris appui sur une colonne, regardant les arcades au-dessus de moi. Lorsqu'elle revint (entre-temps j'avais

trouvé un banc où m'asseoir), elle me proposa de faire la visite des trésors de l'église et, m'aidant à me lever, m'entraîna derrière elle dans la nef. Nous payâmes deux tickets et je dus baisser la tête pour entrer dans une chapelle étroite, éclairée à la lumière électrique. Les murs étaient couverts d'armoires vitrées, dans lesquelles étaient exposées des armes, des poteries. Dans une cage de verre, au centre de la chapelle, d'autres trésors reposaient. Nous suivîmes deux vieux messieurs le long des vitrines, et nous étions obligés de nous arrêter régulièrement car ils s'immobilisaient sans cesse devant nous pour se désigner mutuellement du doigt quelque curiosité. Tandis que, complètement penchés en avant, les lunettes relevées, ils s'attardaient devant une arbalète (on eût dit qu'ils n'avaient jamais vu une arbalète), je parvins à me faufiler et à les dépasser. Je fis le tour de la pièce et sortis, attendant Edmondsson dans le baptistère, contre un pilastre.

52) Dehors, la lumière m'éblouit les yeux. Edmondsson m'avait rejoint sur le parvis et se protégeait du soleil avec la main. Côte à côte devant l'église, les yeux plissés, nous nous

demandions ce que nous allions faire. Edmondsson, qui feuilletait son livre de peinture italienne, voulait continuer les visites. J'essayais de l'en dissuader. Devant sa sereine détermination (elle ne m'écoutait pas), il m'apparut que je ne parviendrais pas à la faire changer d'avis. Je rentrai seul à l'hôtel.

53) Lorsque Edmondsson me rejoignit dans la chambre, en fin d'après-midi, j'étais en train de regarder par la fenêtre. Elle s'assit sur le lit, et enleva ses chaussures. Penchée en avant, elle m'expliqua qu'elle avait découvert trois peintures fascinantes, très sombres, de Sebastiano del Piombo au Musée de l'Académie, puis, sans cesser de se masser les pieds, elle me demanda ce que je pensais de l'œuvre de ce peintre. C'était difficile à dire. Au bout d'un moment, comme elle me répétait la question, je lui avouai que je n'avais plus envie de porter de jugement sur la peinture. Edmondsson se leva sans insister. Elle avait enlevé sa robe et cherchait sa jupe de sport dans la valise. J'ajoutai que je n'avais plus envie de jouer au tennis, non plus. Edmondsson remit alors sa robe, elle me trouvait ennuyeux (d'ailleurs je n'ai pas de short, dis-je).

54) Un peu avant le dîner, nous ressortî-
mes. Edmondsson m'avait pris la main et nous
marchions lentement dans les rues, nous arrêtant pour lire les affiches murales qui présentaient les concerts, les spectacles, les affichet-
tes qui faisaient part des décès. L'une d'elle,
feuille blanche encadrée d'un trait noir,
annonçait sobrement la mort d'un jeune
homme de vingt-trois ans. J'arrachai l'affi-
chette.

55) Nous continuâmes à nous promener.
Edmondsson me regardait d'une manière
étrange, et son regard posé sur moi me déran-
geait. Je lui demandai gentiment de ne plus
me regarder et, pendant quelques instants, je
me sentis mieux. Nous nous arrêtions devant
les vitrines des magasins. Nous nous attardâmes devant une bijouterie, entrâmes dans un
café. C'était un établissement décoré de boiseries. Dans la salle sombre, assises sur des
chaises en velours, des vieilles dames man-
geaient des sorbets avec de longues cuillères,
buvaient du thé, des chocolats. Elles parlaient
de manière feutrée. Edmondsson avait ouvert
la carte devant moi. Je ne voulais rien boire,

rien manger. La serveuse attendait devant la table. Comme sa présence me pesait, je commandai une dame blanche — pour qu'elle s'éloignât.

56) Je regardais la dame blanche fondre devant moi. Je regardais fondre imperceptiblement la vanille sous la nappe de chocolat brûlant. Je regardais la boule encore exactement ronde un instant plus tôt qui ruisselait lentement en filets réguliers blancs et bruns métissés. Je regardais le mouvement, immobile, les yeux fixés sur la soucoupe. Je ne bougeais pas. Les mains figées sur la table, j'essayais de toutes mes forces de garder l'immobilité, de la retenir, mais je sentais bien que, sur mon corps aussi, le mouvement s'écoulait.

57) Nous étions sortis du café, et nous rentrions à l'hôtel. Les mains dans les poches de mon pardessus, je marchais la tête baissée, en appuyant mes pas sur le trottoir pour enfoncer la ville dans l'eau. À chaque fois que je terminais la descente d'un escalier, je sautais discrètement à pieds joints sur le sol et, attendant Edmondsson au bas des marches, je l'invitais

à faire de même. À raison d'un enfoncement de la ville de trente centimètres par siècle, expliquais-je, donc de trois millimètres par an, donc de zéro virgule zéro zéro quatre-vingt-deux millimètres par jour, donc de zéro virgule zéro zéro zéro zéro zéro zéro un millimètre par seconde, on pouvait raisonnablement, en appuyant bien fort nos pas sur le trottoir, escompter être pour quelque chose dans l'engloutissement de la ville.

58) Nous nous égarâmes. Nous nous étions perdus. Edmondsson m'attendait au centre d'une petite place et j'en faisais le tour, m'engageant dans chacune des ruelles qui la bordaient pour tâcher de reconnaître quelque vue familière. Vainement. Las de cette promenade qui n'en finissait pas (le soleil se couchait), nous décidâmes de rentrer en vaporetto. Tandis qu'à l'intérieur de la station Edmondsson achetait des billets, j'allai consulter le plan de la ville sur un panneau mural. À coté de moi, une dame déplaçait un doigt sur la carte, n'en terminait pas de suivre le tracé d'une rue avec l'index. Elle m'agaçait, je ne voyais rien. Je lui donnai des petites claques sur la main.

59) Nous dînâmes dans un restaurant du quartier. De retour dans la chambre, je me couchai sur le lit sans prendre la peine d'enlever mon manteau. Une main sous la nuque, je fumais posément une cigarette. Je regardais le plafond. Edmondsson était assise sur une chaise en face de moi. De temps en temps, notre conversation du dîner reprenait de manière fragmentée, décousue. Au restaurant, lorsque Edmondsson avait parlé de réserver des couchettes, j'avais dit que ce n'était pas la peine. Je n'avais pas envie de rentrer à Paris. Non (j'étais formel).

60) Le lendemain, je ne sortis pour ainsi dire pas. Lecture des Pensées de Pascal (en anglais malheureusement, dans une édition de poche qui traînait sur une table du bar).

61) Je voyais assez peu Edmondsson. Elle n'était pratiquement jamais à l'hôtel. Après le déjeuner, que nous prenions ensemble dans la salle à manger, nous allions boire le café au bar et, assis l'un à côté de l'autre sur de hauts tabourets, nous parlions de choses et d'autres, Edmondsson me racontait sa matinée par

exemple. Ensuite je remontais dans ma chambre et Edmondsson disparaissait jusqu'en fin d'après-midi. Parfois, il lui arrivait encore de ressortir après le dîner. Ainsi, un soir, assista-t-elle à un concert dans une église, où furent jouées des œuvres de Mozart et de Chopin.

62) Lorsque je jouais aux fléchettes, j'étais calme, détendu. Je me sentais apaisé. Le vide me gagnait progressivement et je m'en pénétrais jusqu'à ce que disparût toute trace de tension dans mon esprit. Alors — d'un geste fulgurant — j'envoyais la fléchette dans la cible.

63) J'avais acheté un bloc de papier à lettres chez le marchand de journaux et, dans ma chambre, assis à la grande table ronde, avais tracé deux colonnes sur le papier. Dans la première, j'avais inscrit le nom de cinq pays : la Belgique, la France, la Suède, l'Italie et les États-Unis et, à côté, dans la seconde, je consignais les résultats de mes parties de fléchettes. Après cette première phase, éliminatoire, j'organisai une rencontre entre les deux équipes nationales ayant totalisé le plus de points. La finale opposa la Belgique à la France. Dès

la première série de lancers, mon peuple, très concentré, prit facilement l'avantage sur ces maladroits de Français.

64) Ce qui me plaît dans la peinture de Mondrian, c'est son immobilité. Aucun peintre n'a voisiné d'aussi près l'immobilité. L'immobilité n'est pas l'absence de mouvement, mais l'absence de toute perspective de mouvement, elle est mort. La peinture, en général, n'est jamais immobile. Comme aux échecs, son immobilité est dynamique. Chaque pièce, puissance immobile, est un mouvement en puissance. Chez Mondrian, l'immobilité est immobile. Peut-être est-ce pour cela qu'Edmondsson trouve que Mondrian est chiant. Moi, il me rassure. Une fléchette dans la main, je regardais la cible accrochée sur le battant de l'armoire, et je me demandais pourquoi cette cible, plutôt qu'à Jasper Johns, m'avait fait penser à Edmondsson.

65) Mes cauchemars étaient rigides, géométriques. Leur argument était sommaire, toujours lancinant : un tourbillon qui m'englobe et m'emporte en son centre, par exemple, ou des lignes droites placées devant

mes yeux dont je tâche infiniment de modifier la structure, remplaçant un segment par un autre, procédant à des corrections sans fin pour les épurer. Depuis quelques jours, je jouais tellement aux fléchettes que pendant la nuit, à la surface de mon sommeil, surgissaient des images obsédantes de cibles.

66) Lorsque Edmondsson passait la soirée à l'hôtel, après le dîner, je l'invitais à boire un pousse-café au bar. La radio diffusait de la musique derrière le comptoir. Au bout d'un moment, le barman quittait son tabouret et, sans répondre aux sourires que je croyais pouvoir lui adresser au nom des relations cordiales que nous entretenions avant l'arrivée d'Edmondsson (mon ami le barman, l'avais-je surnommé au début), prenait maussadement la commande et nous servait en silence.

67) Un soir, je demandai à Edmondsson de dîner un peu plus tôt qu'à l'ordinaire, car à vingt heures trente, en match retour des huitièmes de finale de la Coupe d'Europe des vainqueurs de Coupes, l'Inter de Milan recevait les Glasgow Rangers. Quinze jours plus tôt, en Écosse, les deux équipes avaient fait

match nul. Après le repas, Edmondsson m'accompagna dans le salon de l'hôtel, où se trouvait le poste de télévision. Le match commença tout de suite. Les Écossais, groupés en défense, pratiquaient un jeu heurté, taclaient pour nuire. J'étais assis à moins d'un mètre de l'écran. Edmondsson suivait la rencontre derrière moi, à moitié allongée sur un canapé. Elle trouvait que je ressemblais un peu à un des joueurs. Je protestais (c'était un grand rouquin avec des taches de rousseur). Oui un peu, disait-elle, dans la façon de courir. Chut, disais-je ; (parce qu'Edmondsson connaissait ma façon de courir ?). À la mi-temps, l'Inter de Milan menait déjà deux à zéro. Nous remontâmes dans la chambre avant la fin du match.

68) Lorsque, le matin, je me réveillais, je voyais la journée à venir comme une mer sombre derrière mes yeux fermés, une mer infinie, irrémissiblement figée.

69) Il m'arrivait parfois de me réveiller en pleine nuit sans même ouvrir les yeux. Je les gardais fermés et je posais la main sur le bras d'Edmondsson. Je lui demandais de me

consoler. D'une voix douce, elle me demandait de quoi je voulais être consolé. Me consoler, disais-je. Mais de quoi, disait-elle. Me
consoler, disais-je (to console, not to comfort).

70) But when I thought more deeply, and
after I had found the cause for all our distress,
I wanted to discover its reason, I found out
there was a valid one, which consists in the
natural distress of our weak and mortal condi-
tion, and so miserable, that nothing can
console us, when we think it over (Pascal, Pensées).

71) Après la sieste, je ne me levais pas tout
de suite. Non, je préférais attendre. L'impul-
sion venait tôt ou tard, qui me permettait de
me mouvoir dans l'ignorance de mon corps,
avec l'aisance des gestes que l'on ne délibère
pas.

72) Edmondsson voulait rentrer à Paris. Je
me montrais plutôt réticent, ne voulais pas
bouger.

73) Lorsque nous prenions nos repas dans
la salle à manger de l'hôtel, je sentais sur moi

le regard d'Edmondsson. Je continuais à manger en silence. Mais j'avais envie de remonter dans ma chambre, de m'isoler. Je ne voulais plus sentir de regard posé sur moi. Je ne voulais plus être vu.

74) Je n'avais plus envie de parler. Je gardais mon pardessus dans la chambre, jouais aux fléchettes toute la journée.

75) Edmondsson me trouvait oppressant. Je laissais dire, continuais à jouer aux fléchettes. Elle me demandait d'arrêter, je ne répondais pas. J'expédiais les fléchettes dans la cible, allais les rechercher. Debout devant la fenêtre, Edmondsson me regardait fixement. Elle me demanda une nouvelle fois d'arrêter. Je lui envoyai de toutes mes forces une fléchette, qui se planta dans son front. Elle tomba à genoux par terre. Je m'approchai d'elle, retirai la fléchette (je tremblais). Ce n'est rien, dis-je, une égratignure.

76) Edmondsson perdait du sang, je l'entraînai hors de la chambre. Nous descendîmes à la réception. Nous courions dans les couloirs, cherchions un médecin. Je l'installai

sur une chaise dans le hall de l'hôtel, sortis en courant. Mais où allais-je ? Je courais, courais dans les rues. Je m'arrêtai, revins sur mes pas. Lorsque je rentrai à l'hôtel, plusieurs personnes entouraient Edmondsson, on avait recouvert ses épaules d'une couverture. Un homme me dit à voix basse qu'on allait la conduire à l'hôpital, que l'ambulance allait arriver. Je me sentais défaillir, je ne voulais plus voir personne, je marchais dans l'hôtel, bus du whisky au bar. Les infirmiers finirent par arriver. J'aidai Edmondsson à se lever, je la soutenais à la taille, elle s'appuyait contre mon épaule. Nous sortîmes dans la rue, montâmes dans la vedette. Le hors-bord démarra aussitôt, filant à pleine vitesse entre deux gerbes immenses. Je restais à l'avant, gardais les yeux ouverts, prenais le vent en pleine figure. Je me retournai et vis Edmondsson, assise sur la banquette, le visage très pâle, les épaules couvertes de laine rouge et noire.

77) Edmondsson s'allongea sur la banquette, se couvrit la poitrine avec la couverture. Elle demeurait étendue, la tête levée, les yeux ouverts. Nous glissions à toute vitesse sur le canal, évitions les autres embarcations. Je

95

regardais l'infirmier qui manœuvrait dans la cabine. À chaque virage, Edmondsson s'agrippait davantage à la banquette. Ses bras s'affaissèrent lors d'une courbe plus longue, ses mains se relâchèrent, elle tomba sur le sol. Un infirmier m'aida à la relever, nous la maintînmes assise par terre, le dos contre la banquette. Elle avait perdu connaissance. Il fallut la porter lorsque nous arrivâmes à l'hôpital. Je marchais à côté des infirmiers, gardais la main d'Edmondsson serrée dans la mienne. On me dit d'attendre là, dans un couloir.

78) J'attendis assis sur un banc. Le couloir était désert, d'une longueur infinie, blanc. Il n'y avait aucun bruit, juste une odeur d'éther : émanation de mort, concrète, qui me faisait mal. Je me tassais sur le banc, fermais les yeux. De temps à autre, quelqu'un entrait dans le couloir, passait devant moi et continuait à marcher jusqu'à l'autre extrémité du couloir.

79) Je me levai et fis quelques pas devant le banc. Je m'éloignais lentement, avançais vers le fond du couloir. Je franchis la porte vitrée et arrivai dans un hall étroit, très sombre, où se trouvaient un ascenseur de service

et un escalier. Je m'assis sur les premières marches et restai là, le dos contre le mur, jusqu'à
ce que du bruit se fît entendre au-dessus de
moi. Je me relevai et montai les escaliers. À
l'étage, je pris à gauche et suivis un long couloir. De chaque côté de moi, les murs étaient
percés de fenêtres haut placées. Je m'arrêtai
pour demander à un infirmier de me dire... je
ne savais plus. Il me regarda d'une manière
étrange et me suivit des yeux. J'accélérai le
pas, montai d'autres escaliers. Au troisième
étage, je m'assis sur une banquette, en face de
l'ascenseur. Au bout d'un moment, les portes
automatiques s'ouvrirent devant moi. Je montai dans la cabine. Elle était très large, grise.
J'appuyai sur le bouton pour descendre. Les
portes automatiques se refermèrent. La cabine
se mit en marche, elle descendait lentement.
Elle s'immobilisa. Les portes automatiques
s'ouvrirent. Je sortis et poussai la porte vitrée
du couloir ; Edmondsson était là.

80) Nous nous embrassâmes dans le couloir blanc.

PARIS

1) Edmondsson (mon amour) rentra à Paris.

2) Le matin de son départ, je l'accompagnai à la gare ; je portais sa valise. Sur le quai, devant la porte ouverte du compartiment, je voulus la serrer dans mes bras ; elle me repoussa avec douceur. Les portes furent claquées une par une. Et le train est parti comme un vêtement se déchire.

3) Je passai plusieurs jours à l'hôtel. Je ne sortais pas, ne bougeais pas de la chambre. Je me sentais fiévreux. Pendant la nuit, des élancements me meurtrissaient le front, mes yeux brûlaient, ébouillantés. Il faisait noir, j'avais mal. La souffrance était l'ultime assurance de mon existence, la seule.

4) Je souffrais — les radiographies du front

et du nez que je finis par aller passer à l'hôpital le révélèrent — d'un début de sinusite. Le médecin qui m'examinait hésitait à pratiquer une ponction ; il restait indécis, regardait les radios devant la lampe puissante. Finalement, il estima qu'on allait suivre l'évolution de l'inflammation et aviser dans quelques jours, après une nouvelle radiographie de la face. Une opération chirurgicale, bénigne assurait-il, n'était pas à exclure.

5) Je ressortis de son bureau avec mes radiographies et me rendis à la réception de l'hôpital, où je demandai une chambre. L'infirmière de l'accueil ne comprenait pas le français, mais un monsieur qui attendait à côté de moi, nous voyant en difficulté, proposa de traduire ma demande. Puis, tandis que je sortais mes radiographies de leur enveloppe et montrais mon crâne dans le hall à toutes les personnes présentes autour de nous, l'infirmière me demanda de bien vouloir patienter et reparut quelques instants plus tard avec une infirmière plus âgée, qui ne paraissait pas commode. Le monsieur qui traduisait traduisit que j'allais être opéré dans quelques jours et que je souhaitais être hospitalisé dès

aujourd'hui pour me reposer avant l'intervention. L'infirmière demanda au monsieur le nom du médecin qui me soignait. Je répondis au monsieur que je ne savais pas, ce qui fut traduit scrupuleusement à l'infirmière. Pour finir, je fus conduit dans une chambre au fond d'un couloir.

6) C'était une chambre à deux lits. Les murs étaient blancs, les lits blancs. Une porte entrouverte donnait sur un petit cabinet de toilette où se trouvait une baignoire sabot, à bords parallèles, avec siège plat, rehaussé. Le deuxième lit de la chambre, dénué de couvertures, était inoccupé ; deux volumineux oreillers trônaient au-dessus des draps. Je déposai ma raquette de tennis sur une chaise, m'installai, ouvris la fenêtre. Elle avait vue sur une cour. Sur le mur d'en face, des fenêtres donnaient sur d'autres chambres.

7) Il ne se passait pratiquement rien dans la cour. De temps en temps, en face de moi, un homme se déplaçait dans une chambre. C'était un homme âgé, aux cheveux blancs, qui portait un pyjama en peluche. Parfois, il s'immobilisait devant sa vitre, et nous nous

faisions face, nous nous fixions. Aucun de nous ne voulait baisser les yeux. Bien que la distance atténuât l'intensité des regards, au bout de quelques minutes, tandis que nous continuions de nous regarder fixement, je commençais à ressentir des picotements sous les tempes, mais je ne baissais pas les yeux ; non, je les fermais.

8) Lorsque je n'avais plus de cigarettes, je m'habillais chaudement, avec mon pardessus et mon écharpe. Je refermais la porte derrière moi et suivais le couloir jusqu'à la sortie. Parfois, dans une allée, je souriais à une infirmière que je reconnaissais. Dans la rue, je m'arrêtais au tabac, puis j'allais généralement boire un café en face. Le jeune homme du comptoir commençait à me connaître, il savait que je prenais quelques gouttes de lait froid avec mon expresso. En sortant, j'allais acheter des journaux et je rentrais à l'hôpital en les feuilletant.

9) Le hall de l'hôpital était toujours encombré de personnes qui attendaient. Dans les couloirs, je croisais des civières, des dessertes de nourriture. Parfois, le sol était

humide. Des infirmières lessivaient, frottaient le revêtement. L'odeur d'éther, pendant un instant, laissait place à celle, acide, de l'eau de Javel.

10) Depuis mon installation, deux jours plus tôt, la chambre portait la marque de ma présence, des journaux reposaient en ordre sur la table de nuit, mon pardessus pendait à un crochet, le verre à dents était rempli de cendres, de mégots. Il m'arrivait parfois de sortir une des radiographies de l'enveloppe pour regarder mon crâne ; je l'examinais de préférence devant la fenêtre, en transparence, les bras tendus devant moi. C'était un crâne blanc, allongé. Les os frontaux se rétrécissaient à la hauteur des tempes. Quatre plombages, dans la bouche, faisaient des marques nettes. L'extrémité des incisives était brisée, une de façon régulière, et l'autre sur un côté seulement, où un éclat manquait. Les yeux étaient immensément blancs, inquiets, troués.

11) Les infirmières, pour la plupart, étaient bonnes pour moi. Seule la chef de service nourrissait de l'antipathie à mon égard. À chaque fois qu'elle entrait dans la chambre, elle

faisait lentement le tour de mon lit et me regardait avec méfiance. Vietato fumare, disait-elle. No comprendo, disais-je à voix basse, sur un ton apaisant. Vietato fumare, répétait-elle, vietato. Et elle ouvrait la fenêtre en grand pour aérer. Les rideaux se mettaient à battre au vent dans l'embrasure, mes journaux se soulevaient sur la table de nuit.

12) Les repas étaient apportés dans ma chambre à heure fixe, je n'y touchais pas. Je regardais ce qu'il y avait dans le plateau par curiosité ; les purées ne variaient que par la couleur, jaune pâle, orange. Le plateau restait posé sur la table pendant des heures. Parfois, lorsque je passais devant, je mettais le doigt dans la purée et le suçais pour y goûter. C'était sans saveur. Ce que je mangeais était meilleur. Le café que je fréquentais à côté de l'hôpital servait un plat du jour à midi, et je m'étais arrangé avec le jeune homme pour qu'il vînt me livrer un repas dans ma chambre, avec une demi-bouteille de chianti (leur vin ordinaire était à éviter, il picotait). Après le déjeuner, j'allais rapporter le plateau au café et je payais mon repas. Je ne ressortais pas tout de suite. Non, je n'étais pas pressé, je buvais un express

au comptoir, offrais une grappa au jeune homme.

13) Lorsque je traversais le couloir central de l'hôpital, il m'arrivait d'aller frapper à la porte du bureau de mon médecin. Dès que la petite lampe verte s'allumait au-dessus de moi, j'entrais. J'attendais debout devant la table. Mon médecin continuait à écrire. J'avais un peu l'impression de le déranger. Mais non, il me faisait asseoir, me serrait la main, très souriant. Nous conversions de choses et d'autres. C'était un homme chaleureux, d'une quarantaine d'années, qui parlait remarquablement bien le français pour un médecin. Il me posait des questions, je répondais avec réserve. Dès le début, à vrai dire, je n'avais pas été franc avec lui. Non, je lui avais fait croire que j'étais sociologue, alors que je suis historien. Mais il semblait prendre intérêt à mes propos et, à défaut de me trouver sympathique, je crois que je l'intriguais, comme peut intriguer, par exemple, une peinture sinistre du quatorzième siècle. Lorsqu'il avait un moment de libre, il ne manquait pas de passer dans ma chambre ; il s'asseyait sur le rebord du lit et nous poursuivions quelque conversation. Bien qu'il ne

semblât nullement s'inquiéter de mon état de santé (une sinusite, pour lui, n'avait rien que de banal), avec une réelle gentillesse, il paraissait craindre que je finisse par m'ennuyer, seul toute la journée dans cet hôpital, et un après-midi, presque timidement, il vint m'annoncer que sa femme et lui seraient heureux de me recevoir à dîner.

14) En début de soirée, j'allai retrouver mon médecin dans son bureau. Il m'attendait assis sur la table, vêtu d'un costume de ville marron, lisant le journal. Il replia soigneusement le journal et, m'entraînant dehors par l'épaule, me demanda si j'aimais les rognons. Oui, et vous ? dis-je. Il les aimait aussi. Nous sortîmes de l'hôpital et, dans la rue, continuâmes encore à parler quelque peu de nos goûts respectifs. Son appartement se trouvait à deux pas de l'hôpital. Avant de monter chez lui, me donnant un petit coup de poing dans le ventre, il me confessa que sa mère faisait mieux la cuisine que sa femme.

15) La femme de mon médecin nous accueillit à l'entrée. Je lui serrai la main poliment (bonjour madame), regardai autour de

moi, déposai un doigt sur la tête de leur petite fille, qui se dégagea aussitôt. La maman me sourit, désolée, installa mon manteau sur le dossier d'une chaise et me fit passer au salon. Je fis lentement le tour de la pièce, examinai les livres de la bibliothèque, allai regarder par la fenêtre. Il faisait déjà nuit. J'espère que vous aimez les rognons, me dit la maîtresse de maison. Oui, il les aime, répondit mon médecin. Sans me retourner, je suivais l'évolution de sa silhouette en reflet sur la vitre. Il finit par aller s'asseoir, sa femme prit place à côté de lui. Il restait encore une petite place pour moi entre eux dans le canapé, mais au dernier moment, renonçant à la prendre, j'allai m'asseoir sur une chaise à l'écart. Nous nous sourîmes. Pendant l'apéritif — un liquide qui combinait les inconvénients d'être à la fois rose, amer et pétillant —, nous parlâmes, avec des intérêts divers, de peinture et de navigation de plaisance. Nous étions détendus, je me laissais aller à discuter, fis même une plaisanterie. La femme de mon médecin trouva que j'avais l'humour anglais.

16) Après l'apéritif, alors que mon médecin avait accompagné sa femme dans la cui-

sine pour lui flamber les rognons, je me retrouvai seul en compagnie de la petite fille de la maison qui était revenue dans la salle de séjour, non sans m'avoir épié longuement derrière la porte. Ayant fait deux fois le tour de ma chaise, elle s'immobilisa à côté de moi, posa prudemment la main sur ma cuisse et me sourit. Je lui demandai si elle parlait français. Elle fit oui en hochant longuement la tête, très droite, les petits genoux joints. Je lui demandai quels mots elle connaissait en français. Elle me regarda avec beaucoup de perplexité. Ses yeux étaient tout noirs. Elle avait les cheveux bouclés, noirs également, et portait un pantalon à bretelles rouge et blanc. Comme elle ne répondait pas, me penchant en avant, je lui demandai si elle voulait que je lui raconte une histoire. Je m'assis à côté d'elle sur la moquette et, à voix basse, commençai à lui raconter le naufrage du Titanic. Mon histoire semblait la divertir beaucoup, car elle ne cessait de rire, timidement d'abord, les yeux baissés, puis franchement, en me regardant avec gratitude depuis que je ramais dans le canot de sauvetage.

17) Les rognons étaient très bons, flambés

au whisky. On me proposait de la sauce, me reservait de vin. Bien qu'elle fût à peine plus âgée que moi, la maîtresse de maison me traitait comme un fils. Assise à ma gauche, s'inquiétant du regard que rien ne me manquât, elle me posait des questions, voulait savoir si je jouais au bridge. Je dis que non. Mais vous jouez au tennis, je crois, me dit mon médecin. Ma foi, dis-je. Vraiment ? dit sa femme. Si vous voulez... demain... au club... s'il fait beau. Vous voulez ? Ma foi, répétai-je. Elle convint aussitôt d'un double mixte pour le lendemain matin, je jouerais avec une amie à elle, très bonne joueuse, vous verrez. Je la remerciai pensivement puis, après quelques hésitations, avouai à mon médecin que je n'avais pas de short. Mon médecin, homme pratique, proposa immédiatement d'y remédier. Il s'essuya la bouche, se leva de table et disparut dans une autre pièce, sa serviette à la main. Il reparut quelques instants plus tard avec un short, qu'il déposa à côté de mon assiette. Puis, se rasseyant, il commença à se demander où il serait le plus simple de se donner rendez-vous pour la partie de tennis. La question semblait revêtir pour lui la plus grande importance. Après réflexion, expli-

111

quant qu'il avait encore des papiers à classer dans son bureau, il dit qu'il m'attendrait le lendemain matin à l'hôpital vers huit heures et demie. Je dis que c'était, en effet, très ingénieux et il parut content. Un peu avant la fin du repas, alors que, bien involontairement, je m'apprêtais à m'essuyer la bouche avec le short, la femme de mon médecin me le prit des mains, et tout en continuant à parler, me tendit une serviette à la place.

18) Nous étions passés au salon et, assis au fond d'un fauteuil, buvant une gorgée de cognac dans un verre rond, je regardais d'un œil distant le short de mon médecin qui pendait lâchement dans ma main gauche. Il était, à l'évidence, beaucoup trop large pour moi. Non, c'est impossible, dis-je en le reposant sur la table. Vêtue d'un pyjama en coton abricot, la petite fille descendit illico de sa chaise et s'empara du short pour s'en coiffer. Elle fit le tour de la pièce en battant des mains. Comme elle ne consentait pas à aller dormir, au bout d'un moment, d'une voix ferme, mon médecin dit qu'il était onze heures et demie, ce qui parut convaincre à moitié la fillette. Elle était disposée à aller se coucher, mais, bizarrement,

refusait d'embrasser l'invité. Pour ne pas avoir l'air d'attendre trop ostensiblement un baiser, d'une voix détachée, je demandai aux parents comment elle s'appelait. Laura, dit sèchement mon médecin, qui commençait visiblement à perdre patience. Il attrapa le lutin par le bras, le souleva de terre, approcha mécaniquement son visage de ma joue et l'entraîna dehors sous son bras.

19) Lorsque j'arrivai à l'hôpital, toutes les lumières étaient éteintes. Le hall était sombre. Dans une loge vitrée, éclairée, des infirmières parlaient à voix basse, tricotaient ; une bouteille thermos et une boîte de biscuits reposaient sur la table. Je passai sans bruit devant la loge et m'engageai dans l'allée centrale. À l'angle des couloirs brûlaient des veilleuses bleues. J'ouvris tout doucement la porte de ma chambre, et me déshabillai dans le noir.

20) Le lendemain matin, vêtu d'une liquette jaune pâle et d'un pantalon de toile, ma raquette de tennis à la main, je quittai ma chambre de bonne heure pour aller rejoindre mon médecin. Les couloirs de l'hôpital étaient clairs, les baies vitrées brillaient. Je traversai

un hall très lumineux dans lequel conversait un petit groupe d'infirmières et, au fond du couloir, à côté d'un malade en pyjama, aperçus mon médecin coiffé d'un bob, qui faisait les cent pas en short, les mains derrière le dos. Il me serra la main et, en hochant gravement la tête, m'apprit qu'il était de mauvaise humeur parce que l'administration de l'hôpital avait fermé son bureau à clé (et tous les dimanches c'est pareil, dit-il en donnant un coup de raquette dans la porte).

21) Dans le couloir central, tandis que nous marchions l'un à côté de l'autre vers la sortie, un monsieur aborda mon médecin. Avec une mine attristée, le chapeau dans les mains, il lui posa un certain nombre de questions, aux-quelles mon médecin répondait laconique-ment en inspectant les cordes de sa raquette. Pour finir, comme le monsieur insistait, mon médecin releva la tête et, d'un ton ferme, lui dit que nous étions dimanche et que le diman-che il ne travaillait pas. Puis, de nouveau aima-ble, se remettant en route, il se tourna vers moi et me demanda si j'avais pris la première collation.

22) Au café, il y avait une animation de dimanche matin, une manière de paresse sociale, morne et silencieuse. Le soleil entrait jusqu'à mi-salle. Dans un coin, à l'ombre, un homme lisait le journal en tournant interminablement la cuillère dans son café. Mon médecin avait posé son bob sur le comptoir et, penché en avant, avec l'aplomb que lui donnait la connaissance de la langue, s'adressait au garçon pour lui passer commande. En attendant d'être servi, ne tenant pas en place, il commença à s'échauffer en prévision de la partie de tennis. Chemise et short blancs, éclatant dans son habit de sport, il remuait mollement les bras, les jambes. Le jeune homme déposa les cafés devant nous. Mon médecin s'accouda au comptoir et, après un rapide coup d'œil circulaire, continuant vaguement à s'échauffer, jeta son dévolu sur un petit croissant à la confiture, qu'il avala comme un hareng, la tête renversée en arrière. Puis, s'essuyant la bouche avec une serviette, il me prit le bras avec ses doigts collants et, évoquant la soirée de la veille que nous avions passée ensemble, il me dit à voix basse — comme si c'était quelque chose de très curieux — que sa femme m'avait trouvé sympathique.

115

23) La femme de mon médecin nous attendait au club de tennis, assise en robe courte à la terrasse du restaurant, le visage penché en arrière sur le haut duquel se dessinaient les losanges de ses lunettes de soleil. Elle se trouvait à une table à l'écart, sous un parasol, en compagnie d'un gros blond — qui faisait la gueule. Dès que nous arrivâmes à leur hauteur, retirant ses lunettes, très souriante, elle me le présenta : c'était son frère aîné. Je dis que j'étais ravi. Le gros blond, impassible sur sa chaise, ne broncha pas ; mais il eut l'air un peu agacé lorsque mon médecin se pencha pour lui faire la bise. Nous prîmes place à côté d'eux, posâmes les raquettes sur la table. Pendant qu'en appui sur une chaise mon médecin renouait les lacets de ses chaussures, sa femme nous expliqua qu'elle n'avait pas pu réserver de terrain avant onze heures. Nous attendîmes en bavardant de choses et d'autres, en plaisantant. Il faisait beau. De temps en temps, le gros blond soupirait avec accablement.

24) Lorsque dans le courant de la conversation — et à ce moment-là seulement, pas avant — la femme de mon médecin expliqua

que son amie s'était décommandée parce qu'elle passait la journée chez des amis à la campagne, je compris que c'était lui, le gros blond, mon partenaire de double mixte.

25) Au moment d'aller jouer, tandis que mon médecin s'éloignait déjà en foulées hautes, arrondies, vers le court numéro trois, le gros blond, qui était resté assis sur sa chaise, dit à sa sœur qu'il ne jouerait pas. Comme, visiblement surprise, elle lui demandait pourquoi, il répondit qu'il n'avait pas à se justifier. Il y eut un échange de regards assez dur, la sœur commença à lui parler rapidement, faisait force gestes. Lui, imperturbable, ne bougeait pas ; il l'écoutait calmement, se nettoyant une molaire avec un cure-dent. Mon médecin, au bout de quelques minutes, revint vers nous au petit trot, la tête levée avec un regard interrogateur. Mis au courant de la situation, il s'accroupit en face de son beau-frère et, pour le convaincre de venir jouer, lui parlant à voix basse, donna des petites claques sur ses grosses cuisses, lui pinça la chair des joues entre deux doigts. Continuant à se curer les dents, l'air de plus en plus excédé, le gros blond hochait la tête négativement. Finalement, il se leva et,

avant de s'éloigner, retirant le cure-dent de sa bouche, d'une voix traînante, dit que nous pouvions aller nous faire foutre.

26) La femme de mon médecin paraissait désolée. Mon médecin s'était rassis et, d'un air soucieux, tâchant de se calmer, regardait ses mains, les comparait. Puis, il remit son bob sur sa tête et l'ajusta. Il se leva en soupirant et, sans conviction, dit qu'il fallait y aller. Porca miseria. Nous nous mîmes en route. Le court numéro trois se trouvait entre les arbres, à une centaine de mètres du pavillon du club. Nous marchions lentement l'un derrière l'autre sur les graviers, entre les pelouses vertes, bien entretenues. Un jardinier retira son chapeau pour saluer mon médecin, qui était peut-être également le sien. Mon médecin, qui reprenait vie à mesure que nous approchions du terrain, serrait des mains, saluait des joueurs à travers les grillages. Pour les derniers mètres, il allongea même le pas, et c'est en petites foulées, allègrement, qu'il franchit le portillon du court. Derrière lui, marchant tranquillement dans une allée, sa femme m'expliquait que leur fille passait la journée chez une de ses grands-mères.

27) Le portillon donnait accès à trois courts en terre battue, identiques, qui venaient d'être arrosés. Nous longeâmes les deux premiers, et rejoignîmes mon médecin qui s'essayait déjà au service, de profil sur la ligne de fond. Sa femme déposa son sac à main sur le bord du terrain, disposa ses cheveux en chignon et, à petits pas gracieux, alla prendre place en face de lui. À peine avait-elle fait un pas sur le court qu'il lui expédia un service d'une extrême violence. Très fier de lui, soulevant l'épaule de sa chemisette à la manière des grands joueurs, il se tourna discrètement vers moi pour observer ma réaction, et me voyant assis sur une chaise verte, les mains derrière la nuque, me cria d'aller me placer. Je fis non avec le doigt. Il n'insista pas et, se jetant en avant les mâchoires serrées, envoya un service tout aussi puissant dans le rectangle opposé.

28) J'avais laissé mon médecin et sa femme en découdre sur le court numéro trois et, à pas lents, je me promenais dans les jardinets du club, arpentais les allées en écoutant crisser le gravier sous mes pieds. De temps à autre, je m'arrêtais derrière un grillage pour suivre

119

des yeux un échange. Comme le soleil commençait à taper, continuant ma promenade, j'obliquai vers un petit bosquet, où je trouvai un banc à l'ombre. Sur le court qui me faisait face, entouré d'arbres, trois jeunes hommes maigres, les jambes poilues, pratiquaient un tennis curieux. Marchant à grands pas vers la balle, zigzaguant précipitamment au dernier moment pour se placer, ils assenaient, les jambes bien raides, de violents coups de raquette dans différentes directions. L'un d'eux, dont je ne parvenais pas très bien à établir s'il opérait avec prédilection à gauche ou à droite du terrain, errait souvent le long du grillage en se grattant la cuisse, la raquette sous le bras, à la recherche des balles. Chaque fois qu'il se baissait pour en ramasser une, il gardait une main sur ses lunettes pour les empêcher de tomber par terre. Puis, démarrant soudain en petites foulées, il rejoignait l'un ou l'autre de ses compagnons sur le terrain, faisait rebondir la balle très haut devant lui et, dans un mouvement désespéré qui s'apparentait autant au patinage artistique qu'à la boxe française, la frappait d'allégresse, en sautillant.

29) Une demi-heure plus tard, à la terrasse du restaurant, je retrouvai ce crabe assis tout seul à une table, une serviette-éponge autour du cou, qui reprenait son souffle devant un gin-tonic. Ses compagnons, apparemment, l'avaient abandonné. Je m'assis à une table voisine et, d'un œil distant, consultai la carte des consommations en attendant mon médecin. Il se présenta en nage une dizaine de minutes plus tard, fourbu, mais heureux. S'allongeant de tout son long sur une chaise, il m'annonça triomphalement six-zéro, six-zéro, puis il enleva ses chaussures et ses chaussettes. À peine s'était-il recouché en arrière avec une expression d'aise intense, les bras ballants, les jambes tendues devant lui pour s'aérer les pieds, qu'un serveur vint lui dire qu'on le demandait au téléphone. Porca miseria. En soupirant, il se leva, s'éloigna pieds nus sur la terrasse, les chaussettes sur l'épaule et, traversant le chemin de graviers sur la pointe des pieds, entra en baissant la tête dans la petite annexe du pavillon. Il ressortit presque aussitôt et, revenant jusqu'au pied de l'escalier en se contorsionnant de nouveau sur le gravier, me cria entre les mains qu'il allait prendre une douche. Une douche, répéta-t-il.

30) Après la douche, mon médecin reparut sur la terrasse vêtu d'un pantalon de toile et d'une chemise saumon, les cheveux mouillés, plaqués en arrière, sur lesquels sillonnaient les traces d'un peigne. Quelques gouttes d'eau s'attardaient sur le front, sur les ailes du nez. À peine assis, il appela le garçon avec un doigt et, consultant la carte en se grattant le nez, commanda trois pim's. Vous aimez le pim's, n'est-ce pas ? dit-il soudain inquiet, en se soulevant de sa chaise pour rappeler le garçon. Oui, oui, dis-je. D'un geste désinvolte de la main, rapide, excédé, il fit signe au garçon de repartir. Puis il se croisa les jambes et me sourit. La femme de mon médecin, douchée elle aussi, arriva sur la terrasse quasiment en même temps que les pim's. Pendant que le garçon répartissait les verres sur la table, prenant place à côté de nous, elle allongea les jambes sur une chaise, se cambra pour rejeter ses cheveux en arrière. Le garçon s'éloigna avec son plateau. Mon médecin but une gorgée de pim's, regarda autour de lui et dit que c'était le bonheur.

31) Je terminai mon verre et me levai. Je traversai la terrasse, entrai dans le pavillon et

me trouvai dans une salle de restaurant en bois clair, au fond de laquelle, à l'ombre, un barman lavait des verres. Après avoir regardé autour de moi, je lui fis confirmer que les toilettes se trouvaient bien au sous-sol et m'engageai dans les escaliers. En bas, dans un vestibule très sombre, éclairé artificiellement, se trouvaient plusieurs portes, des vestiaires, un lavabo.

32) Debout devant le miroir rectangulaire des toilettes, je regardais mon visage, qu'éclairait une lampe jaune derrière moi. Une partie des yeux était dans l'ombre. Je regardais mon visage ainsi divisé par la lumière, je le regardais fixement et me posais une question simple. Que faisais-je ici ?

33) De retour sur la terrasse, je restai debout à côté de la table de mon médecin, silencieux, regardant les courts de tennis, au loin. Mon médecin et sa femme m'invitaient à m'asseoir, me proposèrent de manger avec eux. Je refusai. Comme ils insistaient, je leur dis que je devais passer à mon hôtel pour voir si ma femme ne m'avait pas écrit. Ma réponse les plongea dans une extrême perplexité (mon

hôtel ? ma femme ?). Mais, comme je ne leur devais aucune explication, je pris congé aussitôt (non sans les avoir remerciés encore une fois pour la soirée de la veille).

34) Je voyageai debout dans un vaporetto. Accoudé à la rambarde, je regardais les gens assis sur les banquettes. Ils s'observaient les uns les autres, s'épiaient mutuellement. Dans les yeux qu'il m'arrivait de croiser je ne voyais qu'une hostilité diffuse, pas même dirigée contre moi.

35) Lorsque j'entrai dans le hall de l'hôtel, j'eus le sentiment de connaître les lieux. Les boiseries avaient été cirées, le velours des fauteuils était lisse. Mes pas, sur la moquette, produisaient un son feutré. Le réceptionniste était toujours derrière son bureau, immuable, les lunettes d'écaille en équilibre sur le nez. Je m'approchai du comptoir et lui demandai s'il y avait du courrier pour moi. Non. Son ton, assez curieusement, était désagréable ; comme si, découvrant à l'instant que j'étais toujours à Venise, il m'en voulait d'avoir changé d'hôtel.

36) Je traînai quelque peu dans les rues avoisinantes. Elles étaient désertes. Les magasins étaient fermés, des volets métalliques couvraient les devantures. Je trouvai un bar ouvert, mangeai un sandwich de pain de mie à la tomate et au thon.

37) En rentrant dans ma chambre, à l'hôpital, je fus surpris de trouver quelqu'un couché dans le lit voisin du mien. Je ressortis aussitôt pour aller me renseigner à la réception. L'infirmière de garde comprenait mal le français. Je lui expliquai, toutefois, qu'il y avait un malade dans ma chambre. Puis, d'une voix conciliante, je lui demandai s'il n'était pas possible de l'installer ailleurs, ou de me faire changer de chambre, j'étais tout à fait prêt à déménager moi-même si c'était plus simple. L'infirmière ouvrit un registre, le feuilleta ; elle me demanda de bien vouloir patienter quelques instants et revint avec la chef de service. Je n'étais pas en très bons termes avec elle. Aussi, devant son refus immédiat, à peine poli — elle semblait comme agacée d'avoir été dérangée —, je préférai ne pas insister.

38) Je décidai de rentrer à Paris.

39) À l'aéroport — Marco Polo —, je fis la connaissance d'un Soviétique. Assis à côté de moi dans une salle d'attente circulaire, penché en avant, il attendait un avion pour Leningrad, via Rome. C'était un homme d'une cinquantaine d'années, costaud, qui portait une petite moustache blonde, drue, taillée en biseau. Il était ingénieur en hydraulique, voyageait beaucoup à l'étranger. Comme il était aussi polyglotte que moi, mais dans des spécialités différentes (russe, roumain), je ne compris pas très bien — il me l'expliquait en italien — ce qu'il était venu faire à Venise. Mais, comme nous avions tous les deux plusieurs heures à perdre dans cet aéroport, après avoir vadrouillé l'un à côté de l'autre dans une partie éloignée du hall, nous nous retrouvâmes à la buvette pour boire des bières. Debout devant nos verres, entre deux silences pendant lesquels il soupesait dubitativement son attaché-case, nous parlions d'histoire contemporaine, de politique. Après un bref tour d'horizon de l'histoire italienne du vingtième siècle (Gramsci, Mussolini), nous demandâmes d'autres bières. Puis, passant à l'histoire de son pays, sujet plus délicat en raison du joug,

nous dîmes Khrouchtchev, Brejnev. Je citai Staline. Il but pensivement une gorgée de bière et, avec une expression fataliste, souhaitant sans doute changer de sujet de conversation, me montra la piste d'atterrissage à travers la baie vitrée. Nos avions furent annoncés. Avant de gagner nos salles d'embarquement, nous nous serrâmes chaleureusement la main.

40) Dans l'avion, je m'étais placé au milieu du couloir, le plus loin possible des hublots, et depuis le décollage, j'écoutais tous les bruits, surveillais les odeurs. Chaque fois que quelqu'un se déplaçait dans la cabine, je m'assurais qu'il ne fumait pas. Pour me donner du courage, je regardais les hôtesses, qui ne paraissaient pas particulièrement inquiètes. Non, elles allaient et venaient avec le sourire, comme si elles se fussent trouvées dans un train. Dès que l'avion aborda sa descente, mes sinus recommencèrent de me faire souffrir ; je plissais le front sous la douleur et, durant l'atterrissage, tassé sur mon siège, serrai de toutes mes forces la main de ma voisine, une dame italienne, élégante, qui me souriait avec gêne.

41) À l'aéroport — Orly —, je suivis le flux des voyageurs qui allaient présenter leur passeport. La jeune femme de la police des frontières à qui j'avais remis le mien, après l'avoir examiné, me posa une question. Sur mon adresse en France ? Sur ma destination ? Comme je n'avais pas écouté (mes yeux étaient posés sur le revolver qu'elle portait à la hanche), je fis une réponse évasive qui n'engageait à rien. Elle releva la tête aussitôt, le regard méfiant. Vous vous moquez de moi ? dit-elle. Pas du tout, dis-je. Elle me rendit sèchement le passeport. Circulez, dit-elle, et n'oubliez pas que vous êtes à l'étranger, ici.

42) Je traînai dans les couloirs de l'aéroport, m'assis dans une salle d'attente, ne savais pas quoi faire.

43) Je téléphonai à Edmondsson d'une cabine publique. Elle répondit. Sa voix était distante, sans chaleur. Elle parlait sur un ton neutre, racontait ce qu'elle avait fait pendant le week-end. Je demandai si je pouvais rentrer. Oui, si je voulais, je pouvais rentrer. Avant de raccrocher, elle me dit qu'elle laisserait la clef sous le paillasson car elle devait ressortir.

44) Le courrier s'était accumulé pendant mon absence de Paris. Parmi le tas d'enveloppes qui reposait en désordre sur mon bureau, je reconnus une lettre de T., que j'ouvris dans le couloir, en marchant vers la salle de bain. Il me disait qu'il m'avait vainement téléphoné plusieurs fois et me demandait de l'appeler d'urgence dès mon retour. J'enlevai ma chemise et me fis couler un bain.

45) Le lendemain, je ne quittai pas l'appartement.

46) Lorsque j'ai commencé à passer mes après-midi dans la salle de bain, il n'y avait pas d'ostentation dans mon attitude. Non, je sortais parfois pour aller chercher une bière dans la cuisine, ou je faisais un tour dans ma chambre et regardais par la fenêtre. Mais c'était dans la salle de bain que je me sentais le mieux. Pendant les premiers temps, je lisais assis dans un fauteuil, puis — parce que l'envie me prenait de lire couché sur le dos — allongé dans la baignoire.

47) Edmondsson, après son travail, venait

me rejoindre et me racontait sa journée, parlait des peintres exposés dans sa galerie. Sa blessure finissait de se cicatriser. L'hématome qui bleuissait son front ajoutait à son charme, me semblait-il, mais j'éprouvais des scrupules à le lui faire remarquer.

48) Je restais allongé dans la baignoire tout l'après-midi, et je méditais là tranquillement, les yeux fermés, avec le sentiment de pertinence miraculeuse que procure la pensée qu'il n'est nul besoin d'exprimer. Parfois, Edmondsson entrait dans la salle de bain à l'improviste et, surpris, je sursautais dans la baignoire (ce qui la mettait en joie). Ainsi, un jour, fit-elle irruption dans la pièce et, sans me laisser le temps de me redresser, pivota et me tendit deux lettres. L'une d'elles provenait de l'ambassade d'Autriche.

49) Devais-je, commençais-je à me demander, et pour en attendre quoi, me rendre à la réception de l'ambassade d'Autriche ? Assis sur le rebord de la baignoire, j'expliquais à Edmondsson qu'il n'était peut-être pas très sain, à vingt-sept ans, bientôt vingt-neuf, de vivre plus ou moins reclus dans une bai-

gnoire. Je devais prendre un risque, disais-je les yeux baissés, en caressant l'émail de la baignoire, le risque de compromettre la quiétude de ma vie abstraite pour. Je ne terminai pas ma phrase.

50) Le lendemain, je sortais de la salle de bain.

LE JOUR OÙ J'AI RENCONTRÉ JÉRÔME LINDON

par
Jean-Philippe Toussaint

C'est un télégramme qui fut mon premier lien avec Jérôme Lindon, je revois très bien le papier pâle et bleuté et les mots impersonnels écrits à la machine sur des bandelettes de papier blanc collées les unes à côté des autres, j'en ai pris connaissance devant la cheminée de la maison d'Erbalunga et je tâchais de contenir mon excitation, je ne sais plus exactement ce qui était écrit sur ce télégramme, ce devait être un message très simple, Jérôme Lindon me demandait sans doute de le rappeler, mais je me souviens que je ressentais un calme étrange en regardant ce papier entre mes mains, pressentant qu'il recelait la confirmation en puissance de l'orientation de ma vie.

Je n'ai parlé à Jérôme Lindon que le lendemain, depuis la petite cabine téléphonique de la poste d'Erbalunga. Je me souviens parfaitement des premiers mots de cette conversation, moi recroquevillé dans la cabine vitrée à l'intérieur de la poste, la tête baissée, une main sur le récepteur pour ne pas en perdre une miette, et lui me demandant d'entrée si j'avais signé un contrat avec un éditeur. Non, le manuscrit de *La Salle de bain* avait été refusé par toutes les maisons d'édition de Paris à qui je l'avais proposé, et il était resté en souffrance aux Éditions de Minuit dans le bureau d'Alain Robbe-Grillet, qui enseignait alors aux États-Unis, Jérôme Lindon ne l'ayant découvert que par hasard un jour qu'il vaquait dans l'immeuble (un arrosoir à la main, qui sait, comme il m'est arrivé de le voir par la suite, il aurait très bien pu faire sienne cette phrase de Beckett, je la cite de mémoire, c'est dans *L'Expulsé* ou dans *Molloy, il n'y a que moi qui comprenne quelque chose aux tomates dans cette maison*).

À partir de ce jour, et pendant toute la durée du mois qui suivit — j'avais renvoyé le contrat signé par la poste, mais nous ne nous étions pas encore vus — il me téléphonait en Corse une ou deux fois par semaine, chez les voisins qui occupaient la petite ferme en contrebas de la maison (il y avait cinq minutes de marche aller, et cinq minutes retour entre les deux maisons). J'arrivais, tout essoufflé et ravi, et nous discutions de

choses et d'autres au téléphone, de mes influen-
ces littéraires et de mon manuscrit. À l'époque,
cela me paraissait normal qu'un éditeur s'inté-
resse d'aussi près aux moindres détails lilliputiens
du manuscrit d'un inconnu. Le jour de Noël
1984, il m'a même téléphoné à Bruxelles, chez
mes parents, il avait un petit doute sur la forme
qu'il fallait préférer : *"une sinusite, pour lui,
n'était rien que banal"* ou *"une sinusite, pour
lui, n'avait rien que de banal"*. Il aurait, certes,
pu m'appeler le soir du réveillon, mais, avec
beaucoup de sagesse, il a préféré attendre le lendemain, jugeant sans doute que la question pouvait attendre jusqu'au 25 décembre.

Finalement, nous nous sommes rencontrés
pour la première fois un après-midi de décembre
1984. Je me souviens très bien du premier
regard que Jérôme Lindon m'a adressé ce jour-
là, incroyablement droit, j'ai senti un regard
infaillible dès le premier coup d'œil, un regard
qui évalue, qui jauge et qui juge, cela faisait moins
de cinq secondes que j'étais en face de lui, il
venait de se lever de son fauteuil pour m'accueillir dans son bureau du troisième étage de la rue
Bernard-Palissy, et il était en train de se demander, avec ce sentiment d'urgence, de curiosité et
de vivacité, qui faisait de lui un si grand éditeur,

137

si j'étais, ou non, plus grand que lui. Mais rien ne transparut dans son attitude, il demeura impassible et me fit asseoir, aucune expression de déception sur son visage en constatant que j'étais très légèrement plus grand que lui, peut-être une légère contrariété contenue, un fugitif sentiment d'amertume tout aussitôt chassé de son esprit (bah, les jeunes auteurs n'auront plus le respect des anciens, l'élémentaire politesse d'être légèrement plus petit que leur éditeur).

Je n'ai pas beaucoup d'autres souvenirs de notre première conversation, mais je revois encore très bien son bureau, les étagères de livres aux murs, blancs et bleus avec l'étoile de Minuit, ou aux jaquettes multicolores des innombrables exemplaires des traductions des auteurs de la maison, beaucoup de choses nouvelles commen-çaient pour moi ce jour-là, qui allaient devenir rituelles et immuables, le rendez-vous de midi et demi pour aller déjeuner, sa cavalcade dans les escaliers pour venir accueillir le visiteur et lui ser-rer la main, son très léger essoufflement après un tel raid, la lente marche vers le restaurant *Le Sybarite*, l'échange de nouvelles et les petites plaisanteries échangées dans la rue, sa façon de les esquiver et de relancer la conversation après un instant de silence. Ce dont je me souviens aussi, ce qui m'a frappé d'emblée, c'est la capacité qu'il avait à désamorcer les tensions, avec un mélange d'assurance autoritaire dans le regard qui imposait le respect et une douceur dans les gestes, dans le glissé des mains et l'onctuosité de la voix qui apaisait l'interlocuteur et parait par avance ses éventuels coups de griffes, à la manière de ces dompteurs aguerris au contact des grands fauves particulièrement vulnérables, dangereux et imprévisibles que devaient être — je commençais à le pressentir — les écrivains.

En sortant de ce premier rendez-vous, en cette fin d'après-midi de décembre 1984, mes forces m'abandonnèrent peu à peu, trop de choses à la fois étaient en train de s'accomplir, trop d'émotions, et je me suis assis sur le trottoir, rue de Rennes, il faisait nuit, des décorations de Noël pendaient à des fils aux devantures des magasins, j'étais assis au bord de la chaussée, le front humide de transpiration, les phares des voitures passaient sur mon visage, mon regard se brouillait et je me sentais m'évanouir lentement, je suivais des yeux les feux arrières des voitures qui s'éloignaient sur le boulevard Saint-Germain, je regardais le ciel, je regardais la ville, j'avais relevé le col de mon manteau et je ne bougeais plus, j'étais assis là dans la rue à Paris vers six heures du soir, j'avais vingt-sept ans, bientôt vingt-neuf, je venais de quitter Jérôme Lindon et *La Salle de bain* allait être publié aux Éditions de Minuit.

Jean Echenoz, *Un an*.
Paul Éluard, *Au rendez-vous allemand* suivi de *Poésie et vérité 1942*.
Christian Gailly, *Be-Bop*.
Christian Gailly, *Dernier amour*.
Christian Gailly, *Les Évadés*.
Christian Gailly, *Les Fleurs*.
Christian Gailly, *L'Incident*.
Christian Gailly, *K.622*.
Christian Gailly, *Nuage rouge*.
Christian Gailly, *Un soir au club*.
Anne Godard, *L'Inconsolable*.
Bernard-Marie Koltès, *Une part de ma vie*.
Hélène Lenoir, *L'Entracte*.
Hélène Lenoir, *Son nom d'avant*.
Robert Linhart, *L'Établi*.
Laurent Mauvignier, *Apprendre à finir*.
Laurent Mauvignier, *Autour du monde*.
Laurent Mauvignier, *Continuer*.
Laurent Mauvignier, *Dans la foule*.
Laurent Mauvignier, *Des hommes*.
Laurent Mauvignier, *Loin d'eux*.
Marie NDiaye, *En famille*.
Marie NDiaye, *Rosie Carpe*.
Marie NDiaye, *La Sorcière*.
Marie NDiaye, *Un temps de saison*.
Christian Oster, *Loin d'Odile*.
Christian Oster, *Mon grand appartement*.
Christian Oster, *Une femme de ménage*.
Robert Pinget, *L'Inquisitoire*.
Robert Pinget, *Monsieur Songe* suivi de *Le Harnais* et *Charrue*.
Yves Ravey, *Enlèvement avec rançon*.
Yves Ravey, *La Fille de mon meilleur ami*.
Yves Ravey, *Un notaire peu ordinaire*.
Yves Ravey, *Trois jours chez ma tante*.
Alain Robbe-Grillet, *Djinn*.
Alain Robbe-Grillet, *Les Gommes*.
Alain Robbe-Grillet, *La Jalousie*.
Alain Robbe-Grillet, *Pour un nouveau roman*.
Alain Robbe-Grillet, *Le Voyeur*.
Jean Rouaud, *Les Champs d'honneur*.
Jean Rouaud, *Des hommes illustres*.
Jean Rouaud, *Pour vos cadeaux*.
Nathalie Sarraute, *Tropismes*.
Eugène Savitzkaya, *Exquise Louise*.

CET OUVRAGE A ÉTÉ ACHEVÉ D'IMPRIMER LE
VINGT-SIX SEPTEMBRE DEUX MILLE DIX-NEUF DANS
LES ATELIERS DE NORMANDIE ROTO IMPRESSION S.A.S.
À LONRAI (61250) (FRANCE)
N° D'ÉDITEUR : 6485
N° D'IMPRIMEUR : 1904505

Dépôt légal : octobre 2019